O QUE A BÍBLIA FALA SOBRE DINHEIRO

O QUE A BÍBLIA FALA SOBRE DINHEIRO

—

AUGUSTUS NICODEMUS

Os textos bíblicos foram extraídos da *Nova Versão Transformadora* (NVT), da Editora Mundo Cristão, sob permissão da Tyndale House Publishers, salvo as seguintes indicações: *Almeida Revista e Atualizada*, 2ª edição (RA), da Sociedade Bíblica do Brasil; e *Nova Versão Internacional* (NVI), da Biblica Internacional.

CIP-Brasil. Catalogação na publicação
Sindicato Nacional dos Editores de Livros, RJ

L85q

Lopes, Augustus Nicodemus, 1954-
O que a bíblia fala sobre dinheiro / Augustus Nicodemus. - 1. ed. - São Paulo: Mundo Cristão, 2021.

ISBN 978-65-86027-77-8

1. Economia - Aspectos religiosos - Cristianismo. 2. Economia na Bíblia. 3. Dízimos - Doutrina bíblica. 4. Igreja - Finanças. I. Título.

20-67989 CDD: 261.85
CDU: 27:330

Categoria: Igreja
1ª edição: março de 2021 | 4ª reimpressão: 2025

Revisão
Natália Custódio
Produção e diagramação
Felipe Marques
Colaboração
Ana Luiza Ferreira
Capa
Douglas Lucas

Publicado no Brasil com todos os direitos reservados por:

Editora Mundo Cristão
Rua Antônio Carlos Tacconi, 69
São Paulo, SP, Brasil
CEP 04810-020
Telefone: (11) 2127-4147
www.mundocristao.com.br

Sumário

1
Deus e o dinheiro

Os abusos praticados por algumas igrejas neopentecostais quanto ao levantamento de recursos financeiros tornaram bastante delicada a questão da contribuição financeira nas igrejas evangélicas. O que distingue as mencionadas igrejas das pentecostais clássicas é a prática enfática da chamada *teologia da prosperidade*. Trata-se do falso ensino de que é da vontade de Deus que todos os seus filhos experimentem na vida terrena o melhor que os recursos materiais possam proporcionar.

Defensores dessa teologia acreditam que Deus deseja que os cristãos sejam prósperos financeiramente, saudáveis e longevos, e que vivam isentos de problemas e dificuldades. Mas, para tanto, seria necessário investir nas coisas de Deus por meio de ofertas, dízimos e doações, entendidos como "sementes" que, plantadas agora, gerariam a esperança de colher um fruto muito mais promissor: Deus estaria obrigado a retribuir abundantemente, por meio de bênçãos materiais, aos que se mostrassem fiéis em dízimos, campanhas e sacrifícios financeiros.

O foco de igrejas que abraçam esse ensino está, portanto, na contribuição financeira de seus membros, e por isso lançam mão de campanhas constantes e de outros artifícios capazes de levar os fiéis — muitas vezes cegados pela própria cobiça ou ignorância — a contribuírem mais e mais, com enormes sacrifícios pessoais. Como o resultado prometido e o fruto almejado não se concretizam, não são poucos os que, desiludidos e revoltados com Deus e com as igrejas cristãs em geral, abandonam a igreja.

Assim, para evitar qualquer associação indevida com o que é apregoado pela teologia da prosperidade, muitos conselhos e pastores de igrejas históricas e reformadas resolveram abolir qualquer menção, durante os cultos, ao tema "contribuição". Se, de um lado, essa atitude evita um possível mal-entendido relacionado à questão financeira, de outro, acaba gerando prejuízos para o entendimento do que é a verdadeira mordomia cristã. O abuso praticado não pode sobrepujar a realidade de que igrejas precisam de recursos para manter vivo o trabalho desenvolvido nem pode invalidar o princípio bíblico da contribuição sistemática, regular e generosa para o sustento da obra de Deus. A Bíblia nos revela ao menos duas relações cruciais entre Deus e o dinheiro que devem ser estudadas e praticadas por todos os cristãos.

A primeira delas é que *toda riqueza pertence a Deus*. Uma verdade que muitos ricos e poderosos não compreendem ou aceitam. A sociedade ocidental, cada vez mais secularizada, almeja autonomia financeira e acredita que alcançá-la depende exclusivamente de seu esforço. O homem moderno considera-se seu próprio senhor. Não reconhece o senhorio de Deus, que por sua graça e misericórdia nos concede saúde, oportunidades, discernimento e sabedoria para o ganho financeiro. Assemelha-se ao homem rico da parábola, que ao contemplar os celeiros cheios de grãos disse a si mesmo, atribuindo-se o sucesso obtido: "Amigo, você guardou o suficiente para muitos anos. Agora descanse! Coma, beba e alegre-se" (Lc 12.19).

No entanto, por direito de criação (Sl 24.1), tudo que existe é de Deus. Sendo o Criador de todas as coisas, dele é o ouro e a prata (Ag 2.8), isto é, todas as riquezas do mundo. E não apenas nossos bens lhe pertencem: nós mesmos pertencemos a Deus, pois ele nos fez. A Bíblia inicia declarando que, no princípio, Deus criou os céus e a terra (Gn 1.1), e continua descrevendo como ele o fez pelo poder de sua palavra. Ao longo de toda a Bíblia, Deus é referendado como nosso Criador, e Criador de todas as coisas existentes. A doutrina da criação, portanto, está no cerne de nossa compreensão acerca das riquezas e dos bens terrenos: nada temos por nós mesmos, mas tudo pertence a Deus. Quando entendemos isso, nossa perspectiva sobre o dinheiro sofre uma profunda mudança, levando-nos a viver não como donos de tudo, mas como mordomos, como servos que prestarão conta das riquezas de seu senhor.

Mas tudo é também de Deus por direito de capacitação, uma vez que Deus é quem nos concede saúde, forças e oportunidades para trabalhar e ganhar dinheiro. Foi o que Moisés ensinou aos israelitas, quando estavam prestes a entrar na terra prometida e tomar posse de grandes riquezas:

> [Deus] fez tudo isso para que vocês jamais viessem a pensar: "Conquistei toda esta riqueza com minha própria força e capacidade". Lembrem-se do SENHOR, seu Deus. É ele que lhes dá força para serem bem-sucedidos, a fim de confirmar a aliança solene que fez com seus antepassados, como hoje se vê.
>
> Deuteronômio 8.17-18

Davi cantou: "Se o SENHOR não constrói a casa, o trabalho dos construtores é vão. Se o SENHOR não protege a cidade, de nada adianta guardá-la com sentinelas" (Sl 127.1). Desta forma também o profeta Oseias queixou-se da nação de Israel: "Ela não entende que tudo que tem foi dado por mim: o trigo, o vinho novo, o azeite. Dei-lhe até mesmo prata e ouro, mas ela ofereceu meus presentes a Baal" (Os 2.8).

Sendo o dono de tudo que existe, Deus se reserva o direito de abençoar materialmente os esforços de quem ele desejar, sem que para isso exija fé, obediência, santidade de vida ou ofertas. Muitos ímpios prosperam por seu trabalho árduo, embora nem sempre pelos meios corretos, enquanto não raro crentes fiéis e esforçados enfrentam uma vida de dificuldades, contabilizando recursos mínimos para sobreviver.

No entanto, não pensemos que Deus é injusto. Na verdade, além de justo, ele é soberano sobre o que lhe pertence. O cristão deve conscientizar-se de que somos apenas gerentes, e não donos dos recursos de que dispomos. Quando abrimos mão do que temos e o entregamos ao Senhor totalmente e sem reservas, experimentamos paz no coração e uma nova liberdade no dar.

A segunda lição é que *Deus tem um plano para os recursos que ele nos confia.* As Escrituras nos ensinam que, sendo o Senhor de todas as riquezas, Deus não só as distribui às pessoas mas também determina como deverão ser usadas. Ele tem um plano, presente nas Escrituras, para os recursos que graciosamente nos concede. Da Palavra extraímos diversos propósitos para os recursos concedidos por Deus.

O principal propósito no plano de Deus consiste em suprir as nossas necessidades e as de nossa família. Deus sabe do que precisamos (Mt 6.31-32). Ele sabe que carecemos do pão nosso de cada dia (6.11), expressão que abrange todas as necessidades da vida, e nosso Deus determinou que o dinheiro seja o meio usual para supri-las. O apóstolo Paulo, ao se despedir dos crentes de Éfeso, lembrou-lhes que trabalhou para sustentar-se: "Vocês sabem que estas minhas mãos trabalharam para prover as minhas necessidades e as dos que estavam comigo"

(At 20.34). Dirigindo-se aos tessalonicenses, também disse: "Quem não quiser trabalhar não deve comer" (2Ts 3.10).

Nosso sustento e o da família vêm como prioridade na administração dos recursos que o Senhor nos concede. Isso fica claro quando Paulo instrui Timóteo: "Aqueles que não cuidam dos seus, especialmente dos de sua própria família, negaram a fé e são piores que os descrentes" (1Tm 5.8). Às vezes, excepcionalmente, o próprio Deus pode inverter essa ordem, como vemos no episódio de Elias e a viúva. O que havia era suficiente apenas para um pão pequeno, mas o profeta diz: "Primeiro faça um pouco de pão para mim. Depois, use o resto para preparar uma refeição para você e seu filho" (1Rs 17.13). Mas essa exceção se deu para que, mais tarde, com o milagre da multiplicação do azeite, se evidenciasse o poder de Deus no sustento da família da viúva e do próprio Elias.

Portanto, o plano de Deus para os recursos que ele graciosamente nos concede começa com o suprimento de nossas necessidades básicas e as daqueles que dependem de nós. Por isso, é triste que trabalhadores pobres gastem seu exíguo salário em vícios como bebida, fumo e apostas em jogos de azar. E mais triste ainda é ver pais e mães com bom rendimento gastarem enormes quantias em coisas supérfluas, negligenciando, assim, as necessidades dos próprios filhos.

Mas Deus também nos concede bens e recursos com outro propósito: abençoar pessoas por nosso intermédio. Ainda que o Brasil, como ocorre em outros países, não experimente um nível de pobreza, fome e necessidade extremas, há muitas pessoas carentes e sofridas em virtude da escassez de recursos materiais. A Bíblia mostra que Deus se preocupa com os pobres e necessitados, e tem compaixão deles. Várias vezes Deus é mencionado na Bíblia como pai dos órfãos e juiz das viúvas

(Sl 10.14; Os 14.3; Sl 68.5). Tiago 1.27 afirma: "A religião pura e verdadeira aos olhos de Deus, o Pai, é esta: cuidar dos órfãos e das viúvas em suas dificuldades e não se deixar corromper pelo mundo".

Está nos planos de Deus, portanto, que ajudemos com os recursos que ele nos deu os que estão atribulados, os necessitados (Rm 12.3) e os pobres (Dt 15.7-8), principalmente os irmãos em Cristo (Gl 6.10). Embora possamos fazê-lo por iniciativa própria, contribuir para as obras sociais da igreja local pode ser mais eficaz, uma vez que ela mantém projetos sociais de largo alcance capazes de levar ajuda não só a pessoas mas também a comunidades carentes. E esse trabalho é sustentado pelos dízimos e pelas ofertas dos membros da igreja. O primeiro exemplo disso está no Novo Testamento, no livro de Atos. Pobres e viúvas da igreja apostólica eram agraciados com a distribuição diária de alimentos — equivalente a uma cesta básica —, o que só era possível pela generosidade e pelo sacrifício de muitos cristãos que contribuíam para esse fim (At 2.32-35; 4.36-37; 6.1).

Outro propósito de Deus para conceder-nos recursos é o sustento de sua obra, que fazemos mediante as contribuições regulares, sistemáticas e generosas à igreja da qual somos membros. Mesmo sendo a igreja uma instituição divina cujos fins são de natureza espiritual, ela precisa de recursos financeiros para alcançar esses alvos. Se dízimos e ofertas não forem recolhidos, não haverá como sustentar os obreiros. Mais uma vez, o erro cometido por aqueles falsos profetas não pode ser motivo para as igrejas deixarem de recolher as contribuições necessárias à obra de Deus e assim negligenciarem o que a Bíblia ensina de maneira tão clara: os obreiros são dignos de seu salário (Lc 10.7; 1Tm 5.18). Além disso, é preciso manter o local em que a igreja se reúne. Embora a igreja apostólica tenha se reunido primeiramente em casas, com o tempo os cristãos passaram a ter locais próprios para os cultos, a catequese, a comunhão, o ensino teológico, etc.

É claro que a existência da igreja de Cristo não depende de recursos materiais, mas certamente eles facilitam o trabalho de expansão do reino. Com os recursos oferecidos por seus membros, a igreja local evangeliza, pastoreia, educa, discipula e ainda contribui com organizações evangélicas envolvidas em obras sociais e no trabalho de evangelização ao redor do mundo.

Despertar o senso de gratidão é outro propósito de Deus ao conceder-nos recursos financeiros. Deus também quer mostrar seu poder e sua bênção através do dinheiro (Mt 6.33). Cada centavo que ganhamos ou recebemos vem de Deus, portanto os recursos devem despertar nossa gratidão. Foi o que Moisés ensinou ao povo de Israel: "lembrem-se do SENHOR, do seu Deus, pois é ele que lhes dá a capacidade de produzir riqueza" (Dt 8.18, NVI).

Quando o rei Davi convocou os israelitas a fim de que contribuíssem para a construção do templo, surpreendeu-se com a generosidade deles e a enorme quantidade de recursos levantados. Agradecido, orou ao Senhor, dizendo:

> Ó nosso Deus, damos graças e louvamos teu nome glorioso! Mas quem sou eu, e quem é meu povo, para que pudéssemos te dar alguma coisa? Tudo que temos vem de ti, e demos apenas o que primeiro de ti recebemos!
>
> 1Crônicas 29.13-14

Todo cristão sincero deveria refletir sobre o uso que faz dos recursos financeiros, lembrando que prestará contas a Deus, como um gerente presta contas ao proprietário. Infelizmente, o dinheiro tem escravizado muitos cristãos. Quer tenham muito, quer pouco, deixam-se dominar pelas preocupações que ele costuma trazer. Mas, quando aprendemos a usá-lo segundo os ensinos da Bíblia, o dinheiro deixa de ser nosso patrão para tornar-se instrumento do bem na sociedade.

Tome o propósito de rever seus gastos e priorizá-los de acordo com o plano de Deus para os recursos que ele lhe concede. Lembre que Deus é dono de tudo e que nós somos apenas gerentes do que ele, por sua graça, nos deu.

Para refletir

1. Você tem definido prioridades para o emprego dos recursos que Deus lhe concedeu? Quais são elas?
2. Você reconhece que Deus é o verdadeiro dono do dinheiro que você tem e que um dia deverá prestar contas de sua utilização?
3. Você se considera generoso nas contribuições para pessoas e para o sustento da obra de Deus por meio da igreja?

2
O que Jesus diz sobre a riqueza

Há vários motivos para estudar o tema riquezas e bens, e também para refletir sobre como agir quando essa questão está em jogo. Primeiro, os bens materiais — posses, dinheiro, propriedades, salário, etc. — têm um papel crucial e central na vida. Uma vez que a capacidade financeira apresenta um peso importante nas decisões e escolhas, é muito importante conhecer os ensinamentos de Deus, contidos na Bíblia, sobre esse tema.

Segundo, há na Bíblia mais passagens referindo-se ao dinheiro e à atitude que devemos adotar sobre ele e os bens materiais do que aludindo ao amor. Por si só, esse já é um indicador da importância do assunto.

Terceiro, a crise institucional, política e financeira no Brasil nos desafia, como cristãos, a entender o papel dos bens materiais em nossa vida e a preparar-nos para enfrentar as dificuldades geralmente advindas em tempos como esses.

Uma das passagens mais conhecidas da Bíblia sobre o tema da riqueza encontra-se no evangelho de Mateus, mais precisamente no Sermão do Monte. Em Mateus 6.19-34, o Senhor Jesus orienta os discípulos sobre como relacionar-se com os bens materiais, uma vez que as riquezas, ou a falta delas, são uma tentação para todos, ricos e pobres. Além disso, os discípulos teriam de lidar com os fariseus, escribas e mestres — líderes religiosos extremamente avarentos. A compreensão errônea sobre o tipo de relacionamento dos discípulos com as riquezas poderia prejudicar o trabalho deles de evangelizar e ensinar as boas-novas do reino.

Jesus, então, convoca os discípulos a fazerem duas escolhas. A primeira é quem seria o deus deles: as riquezas ou o Senhor Deus? A segunda é como viveriam: angustiados ou pela fé? As escolhas propostas pelo Senhor têm suas implicações. Na primeira — as riquezas ou o Senhor Deus, descrita em Mateus 6.19-21 —, Jesus lança mão de três elementos contrastantes para desenvolver seu ponto.

No que se refere às riquezas, o primeiro contraste está relacionado com sua natureza, ou seja, *riquezas terrenas e riquezas celestiais*. O Senhor proíbe aos discípulos o acúmulo de riquezas terrenas (Mt 6.19).

É importante notar, porém, que Jesus não proibiu seus discípulos de trabalharem e receberem salário, ou de proverem para dias difíceis, ou ainda de prosperarem ou melhorarem sua condição de vida. A Bíblia não faz esse tipo de restrição. A proibição de Jesus está em colocar nas riquezas nossa esperança e confiança, em fazer dos tesouros terrenos nosso deus e em ter como alvo principal da vida o acúmulo de tesouros neste mundo. E o motivo dessa proibição é claro: tesouros terrenos são transitórios (Mt 6.19).

Naquela época os bens materiais — roupas finas e elegantes, tapetes caros, barras de ouro e de prata, pedras preciosas e objetos de valor — eram guardados em casa. Ora, as roupas podem ser comidas pelas traças, e os tesouros, comidos pela ferrugem e pelo mofo. No fim, tudo se deteriora. Além disso, os bens poderiam ser levados pelos ladrões, que arrombavam facilmente as casas, feitas de barro e tijolo. Mas isso também se aplica a nós, hoje. Embora as riquezas sejam guardadas em bancos e cofres fortes, ainda permanece o princípio que Jesus ensinou: as riquezas deste mundo são passageiras, efêmeras, transitórias.

Portanto, em vez de acumular tesouros terrenos, Jesus nos ensina a ajuntar tesouros no céu (Mt 6.20). E com isso ele não se refere a um tesouro de méritos útil para nossa salvação, como apregoam a teologia católica e o pensamento de alguns rabinos do antigo Israel. Em vez disso, tesouros nos céus são tudo aquilo que podemos levar para além do túmulo, como santidade de caráter, obediência à vontade de Deus e o fruto de nosso serviço ao Senhor.

Lucas destaca particularmente o ato de dar aos necessitados (Lc 12.33). Uma das maneiras de ajuntar tesouros nos céus é ofertar os tesouros da terra. Foi o que Jesus disse ao jovem rico: "Venda todos os seus bens e dê o dinheiro aos pobres. Então você terá um tesouro no céu" (18.22). Mais uma vez, a Bíblia não proíbe a posse de propriedades e bens. O problema está em fazer deles ídolos, como no caso do jovem rico, e a melhor maneira de derrubar tais ídolos é ofertar e contribuir com generosidade.

Portanto, devemos acumular tesouros nos céus porque sua natureza é duradoura e segura (Mt 6.20), em contraste com a natureza transitória das riquezas deste mundo, e porque eles estabelecem uma relação em nosso coração: se nosso tesouro está no céu, lá também se encontra o coração, mas se estiver na terra, nela também ele se fixará (6.21). Com isso Jesus não está condenando os ricos por serem ricos, nem está impedindo os discípulos de prosperarem. Ele está nos advertindo dos perigos da prosperidade e de colocar o coração e a confiança nas riquezas, e delas dependermos. Está nos alertando a não nos insensibilizarmos perante os pobres, a não nos tornarmos avarentos, e assim deixarmos de contribuir para o reino.

Lutero disse que o Deus de um homem é aquilo que ele mais ama, pois ele o carrega no coração, dorme e acorda com ele, seja o que for — riquezas, ego, prazeres ou popularidade. A melhor forma de fugir dessa tentação é pela generosidade. Dar, contribuir, ofertar, oferecer. É assim que quebramos o poder que o dinheiro exerce sobre nós. "Tesouros nos céus" são, portanto, o favor de Deus, seu agrado e seu prazer em nós, e é isso que devemos buscar acima de tudo.

O segundo elemento contrastante a que Jesus lança mão está em Mateus 6.22-23: *os olhos bons e os olhos maus*. Olhos bons equivalem ao coração que se fixa nos tesouros celestiais, mencionados no primeiro tipo de contraste, enquanto olhos maus se referem ao coração arraigado aos tesouros da terra. A imagem dos olhos representa nossa percepção das coisas. Jesus compara os olhos a uma lâmpada. Quando acesa, ela permite ver, por exemplo, o que há em um aposento. Comparativamente, os olhos permitem a entrada do conhecimento, que por sua vez afetará todo o corpo, isto é, toda a nossa vida. Nessa comparação, olho bom significa olho singelo, simples, focado em uma única direção: em Deus e em suas coisas, o que traz luz para nossa vida.

Em contrapartida, olhos maus são os que se fixam em dois focos concomitantes, resultando em uma vida de insegurança, incerteza e trevas. Ao mesmo tempo que tentam agradar a Deus, os olhos maus representam a avareza, a cobiça e o amor ao dinheiro. A questão é que não podemos ter dois corações, com dois objetivos concomitantes e diferentes. Não podemos conciliar olhos bons e maus.

Finalmente, o terceiro elemento contrastante de que Jesus faz uso está em Mateus 6.24: *Deus e as riquezas*. Jesus se refere às riquezas como um "senhor", e senhores exigiam de seus escravos devoção integral. "Riquezas" é a tradução da palavra aramaica *mamom*, que carrega uma conotação muito negativa. Elas são vistas como um deus, uma potestade, um ídolo do coração que tenta nos dominar e tomar o lugar do Senhor. Era impossível a um escravo servir a dois senhores ao mesmo tempo. A devoção a um implicaria o desprezo ao outro. Portanto, é impossível servir às riquezas e a Deus, pois são opostos e rivais no que se refere à devoção.

"Servir às riquezas" significa fazer delas o alvo maior da vida, acumular tesouros, juntar bens materiais, depender deles, dedicar-se inteiramente a ter mais e mais. Significa também preservar essas riquezas, guardá-las, não dar, não ofertar, não ser generoso. Por isso, a avareza é chamada de idolatria na Bíblia, pois reflete uma profunda devoção ao deus mamom. Em contraste, servir a Deus é usar os bens materiais para os fins por ele determinados, como o sustento pessoal e da família, o sustento da obra de Deus e o auxílio aos pobres e necessitados.

Podemos afirmar que o maior desafio da igreja, hoje, não é o islamismo, o marxismo, o ateísmo, mas o materialismo que permeia nossa cultura, que contamina a igreja, produzindo consumismo, avareza, mesquinhez, insensibilidade para com a obra de Deus e, no caso de líderes, uma visão empresarial da igreja.

Se a primeira escolha está em servir ao Senhor, a segunda escolha proposta por Jesus aos discípulos, descrita em Mateus 6.25-34, é como viveriam, se ansiosos ou pela fé. Ou seja, depois de ensinar-lhes que deviam servir apenas ao Senhor e dedicar-se a ele como único Deus verdadeiro, Jesus os ensina a encarar as necessidades materiais da vida. Como consequência do que diz o texto de Mateus 6.24, o Senhor os exorta a não viverem ansiosos quanto às coisas futuras (6.25), quanto ao que é necessário para a vida — o que comer, beber e vestir —, mas em vez disso a descansarem na providência de Deus (6.26-30).

Para fortalecer a confiança dos discípulos, Jesus faz duas comparações usando elementos da natureza: as aves do céu (6.26-27) e os lírios do campo (6.28-30). Na primeira, ele mostra que as aves — embora não trabalhem e tenham muito menos valor que o ser humano, criado à imagem e semelhança de Deus — são sustentadas pelo Pai celeste. Deus não haveria de sustentar seus filhos? Na segunda, a comparação é com os lírios do campo (6.28-30), flores frágeis, muito coloridas e de vida breve, que brotavam nas campinas da Palestina. Deus "vestia" os lírios a ponto de superarem a glória da beleza de Salomão. Será que Deus não haveria de vestir seus filhos e filhas?

Com essas comparações Jesus quer identificar a origem da ansiedade pelas coisas materiais: a falta de fé (6.30). Isso não quer dizer que nos preocuparmos com ganhar o pão e envidarmos esforços nesse sentido sejam pecado. Se o fizermos confiados na providência de Deus, teremos paz e tranquilidade na fartura e na pobreza. Mas, na grande maioria dos casos, é a falta de fé na providência e no cuidado de Deus que torna os crentes ansiosos e aflitos com relação ao amanhã.

E Jesus vai além. Ele mostra aos discípulos que é preciso buscar em primeiro lugar o reino de Deus (6.31-34), e para tanto faz duas proibições. Primeiro, *proíbe a inquietação com o que comer, beber e vestir* (6.31-33) por serem preocupações típicas dos pagãos (6.32). Nosso Deus sabe do que precisamos antes de lhe pedirmos, portanto viver inquietos com o sustento revela falta de fé no Deus que conhece todas as nossas necessidades e que é poderoso para atendê-las — ao contrário dos deuses dos pagãos, que afinal nem deuses são.

O que fazer, então? Em vez de nos lançarmos ansiosamente em busca do pão de cada dia, devemos priorizar o reino de Deus. Jesus promete que, se buscarmos o reino de Deus em primeiro lugar, todas as demais coisas — como comida, bebida e vestuário — nos serão acrescentadas por Deus (6.33). Isso não quer dizer que podemos ficar confiantemente em casa, sem trabalhar, esperando que o pão caia já prontinho do céu. Mas quer dizer que, se nosso objetivo maior e primeiro é viver para a glória de Deus, trabalhar e ganhar dinheiro para sua glória, ele haverá de abençoar nosso trabalho e por meio dele nos dar tudo de que precisamos.

A segunda proibição do Senhor é *a inquietação com o amanhã* (6.34). Ou seja, não devemos viver ansiosos e temerosos pelo que o amanhã nos reserva. Muitos cristãos caem nessa armadilha pecaminosa. Jesus disse que "o amanhã trará suas próprias inquietações", ou seja, deixemos as preocupações para o amanhã, quando e se o mal nos alcançar. Inquietar-nos antecipadamente revela pessimismo paralisante de quem não acredita que Deus faz tudo acontecer para o bem de seu povo (Rm 8.28). Assim, diz o Senhor: "Bastam para hoje os problemas deste dia". Não precisamos viver, hoje, os males do amanhã, que nem sequer aconteceram. Muitos de nós carregam o fardo imenso dos temores de eventos que talvez nunca ocorram.

Em síntese, nosso Mestre queria nos ensinar que a vida não pode ser determinada pela busca de riquezas nem pelo apego aos bens materiais. Devemos aprender a viver livres da ansiedade quanto ao futuro. Mais ainda, devemos ser generosos, desapegados dos bens e sempre dispostos a compartilhar com outros.

Para refletir

1. Você acha que essas orientações do Senhor quanto ao dinheiro não se aplicam a quem está desempregado ou ganha pouco?
2. Qual a verdadeira razão de sua ansiedade e preocupação quanto ao futuro, ao sustento e às condições de vida?
3. Qual é o seu objetivo na vida?
4. Você tem sido generoso ou contido?

3
A ganância

Que lugar devem ocupar os bens materiais na vida do cristão? Como o dinheiro, os bens e as posses devem ser encarados? São questões importantes, visto que o dinheiro é parte essencial da vida. No entanto, devido ao seu poder, ele é capaz de exercer uma influência maléfica na mente e no coração, afetando nosso relacionamento com Deus e com as pessoas próximas. O amor ao dinheiro está por trás de casamentos desfeitos, amizades destruídas e vidas arruinadas.

O Senhor Jesus tratou dessas questões. Em Lucas 12.13, ele é abordado por um homem que pede sua intervenção em uma disputa familiar a respeito de uma herança: "Mestre, por favor, diga a meu irmão que divida comigo a herança de meu pai!". Esse homem viu em Jesus alguém que poderia resolver, em seu favor, o litígio com o irmão, mas o Senhor recusou-se a intervir no caso, uma vez que o direito de julgar e repartir os bens entre eles (12.14) competia às autoridades judaicas. Não a ele. A lei de Moisés contemplava regras específicas sobre a repartição de heranças (Nm 27.1-11; 36.7-9; Dt 21.15-17). No entanto, Jesus aproveitou o incidente para explicar o lugar que os bens materiais devem ocupar na vida.

Assim, apesar das palavras de advertência proferidas por Jesus àquele homem que o havia procurado visando o lucro material, ele também queria despertar as pessoas que, envolvidas com as coisas desta vida, negligenciavam as coisas de Deus e ainda encorajar os que desanimavam por causa das pressões financeiras. O Senhor advertiu os discípulos e os demais a que se guardassem de todo tipo de ganância (Lc 12.15). Provavelmente, essa era a motivação daquele homem que havia pedido a interferência de Jesus na questão da herança, pois o Senhor não só não atendeu ao seu pedido como, na sequência, abordou o tema da ganância.

Ganância nada mais é que o desejo ou a ambição desmedida de ter sempre mais, de possuir mais que os outros, independentemente da necessidade. Também está relacionada com a atitude interior, com a motivação de quem emprega todos os meios a fim de tirar proveito do próximo. A causa daquele homem poderia até ser justa, mas não sua motivação. Essa não era pura.

A ganância é o elemento instigador da grande maioria das guerras e dos conflitos da humanidade. Conforme Tiago 4.1-2:

> De onde vêm as discussões e brigas em seu meio? Acaso não procedem dos prazeres que guerreiam dentro de vocês? Querem o que não têm, e até matam para consegui-lo. Invejam o que outros possuem, lutam e fazem guerra para tomar deles. E, no entanto, não têm o que desejam porque não pedem.

Outro nome para ganância é "amor ao dinheiro". Na visão de Paulo, essa é a raiz de todo tipo de males: queda no pecado, escravidão a muitos desejos tolos, imersão na desgraça e na destruição, desvio da fé e sofrimentos os mais variados (1Tm 6.9-10). Quando o amor ao dinheiro entra em cena, separam-se casais, amigos, irmãos e até igrejas. Jesus adverte aqueles que o ouvem: "Cuidado! Guardem-se de todo tipo de ganância. A vida de uma pessoa não é definida pela quantidade de seus bens" (Lc 12.15). Ao ser tentado por Satanás, que lhe oferecia todos os reinos deste mundo, Jesus respondeu que "uma pessoa não vive só de pão" (4.4), indicando que a vida não se resume aos bens que alguém venha a conseguir.

Mas não era essa a visão do homem que pediu a intervenção de Jesus. Seu foco estava apenas em sua parte da herança. Com efeito, interrompeu o sermão do Senhor para apresentar seu pedido! E o interessante é que Jesus falava exatamente do total compromisso com o reino de Deus, da assistência que o Espírito Santo dará aos crentes fiéis. Foi nesse ponto que ocorreu a interrupção (12.13). O homem não havia escutado nem compreendido uma só palavra do que Jesus dissera!

Não é esse o quadro típico da sociedade moderna? A mentalidade materialista predomina e tem se infiltrado nas igrejas evangélicas. As pessoas ficam de tal forma dominadas pelas questões financeiras e materiais que, não raro, deixam de ouvir e entender a mensagem de Jesus. O ganancioso e avarento vive como se a realidade material deste mundo fosse tudo, e isso tem atingido muitos cristãos também.

Para ilustrar seu ensino, Jesus conta uma parábola sobre um homem muito rico (12.16-21). Parábolas — histórias reais ou fictícias que, por meio de comparações, nos ajudam a entender preceitos morais ou espirituais — eram um recurso muito utilizado por Jesus. Enquanto ele contava a parábola do homem rico, as pessoas talvez achassem que ele fazia referência a um judeu rico, alguém entre eles. No entanto, no final da história, Jesus o chama de "louco", não no sentido de quem perdeu o juízo, mas de quem age com insensatez.

Da perspectiva materialista, o rico da parábola era esperto. Havia enriquecido, vencido na vida e continuava a enriquecer: seus campos haviam produzido em abundância, a ponto de não ter mais onde armazenar o produto. Ele tinha visão, pensava sempre em expandir as posses e garantir o futuro: derrubaria os atuais celeiros e faria outros maiores. Planejava aposentar-se depois disso, viver da renda acumulada e aproveitar a vida. Já pensava até mesmo no discurso que faria à sua alma: "Você guardou o suficiente para muitos anos. Agora descanse! Coma, beba e alegre-se!" (12.19).

Não é esse o quadro do homem e da mulher modernos? Não é esse o planejamento de vida que muitos cristãos têm adotado? O que poderia estar errado nisso? Afinal, o rico da parábola não era desonesto. Enriqueceu às custas de muito trabalho e do produto de seus próprios campos. O que há de errado em prover para o futuro? O problema com aquele homem rico não estava na riqueza nem na desonestidade. Tampouco no planejar o futuro. O problema pode ser resumido a três atitudes que refletiam, diante de Deus, a profunda insensatez de sua alma.

1. *Ele não pensava em ninguém além de em si próprio*. Por doze vezes ele diz, explícita ou implicitamente, "eu" e "meus". Ao resolver a questão da abundância excessiva, não viu ninguém além de si mesmo. Nunca lhe havia ocorrido dar, contribuir, ofertar parte de sua abundância. Esse é também o problema com muitos cristãos, que não incluem em seus planos ninguém além de si próprios. Não planejam dar, contribuir e ofertar, para abençoar outras pessoas com os recursos que Deus graciosamente lhes dá. Seus pensamentos giram em torno de si mesmos. No final da vida, perceberão quão insensatos foram.

2. *Ele não pensava em Deus nem o levava em conta.* Deus está absolutamente ausente dos planos traçados pelo homem rico. Ele poderia, quem sabe, até ser um judeu praticante, com hábitos religiosos, que ia à sinagoga todo sábado e guardava as leis de Israel e as horas de oração diárias. Mas, na prática, não

passava de um ateu. Deus estava absolutamente ausente de seu projeto de vida e da solução para seu problema. Ele poderia ter pensado em contribuições generosas para a sinagoga local ou para o templo de Jerusalém, que estava sendo reconstruído. Mas não pensou em nada que estivesse, de alguma forma, relacionado com Deus e seu reino. Assim também, muitos cristãos, dominados pela mentalidade secularizada e predominante em nossa sociedade, vivem na prática como ateus, desconsiderando Deus no momento de planejar e empregar seus recursos.

3. *Seus planos não iam além desta vida.* Seu planejamento estendia-se até "muitos anos" (12.19), quando pretendia desfrutar a vida e regalar-se com seus bens. Era incapaz de ver que a vida não termina com a morte, e que a alma ultrapassa a vida terrena e se projeta pela eternidade. Seus planos foram feitos como se fosse viver aqui para sempre.

Infelizmente, há cristãos que também traçam planos e envidam esforços para assegurar um futuro eterno aqui, na terra. Perderam o senso de eternidade espiritual, a vocação de peregrinos neste mundo.

Diante disso, entendemos por que ele é chamado de louco: 1) por pensar que o ápice da felicidade humana consistia em desfrutar uma vida de prosperidade, abundância e segurança neste mundo, sem considerar o vindouro; 2) por pensar que teria a vida toda para desfrutar seus bens, sem considerar que sua vida não estava sob seu controle, mas que poderia morrer a qualquer momento. Daí a pergunta de Deus: "Louco! Você morrerá esta noite. E, então, quem ficará com o fruto do seu trabalho?" (12.20).

Não sabemos a que Deus se referia. Talvez a ladrões e assassinos que espreitavam sua casa naquela noite, para matá-lo e roubar-lhe os bens. Não podemos ter certeza. De qualquer maneira, o ponto de Jesus permanece: aquele homem, depois de morto, não poderia levar as riquezas consigo. Outros haveriam de desfrutá-las enquanto seu cadáver jazia na sepultura. As riquezas acumuladas não servirão para além do túmulo. Naquela noite ele estaria morto e, no dia seguinte, outros estariam rindo e desfrutando tudo que ele havia penosamente granjeado durante toda a vida.

Jesus termina a parábola com esta aplicação: "Sim, é loucura acumular riquezas terrenas e não ser rico para com Deus" (16.21). Nisso estava a loucura daquele homem. Ele viveu toda sua vida enriquecendo-se, sem se preocupar em enriquecer diante de Deus. Viveu rico, mas morreu mendigo.

Resumindo, este é o ensino do Senhor: não devemos gastar a vida acumulando patrimônio e bens, a ponto de nos esquecermos de Deus e das pessoas. Isso é avareza. É idolatria ao dinheiro. É a maior expressão de insensatez, ainda que sejamos inteligentes, espertos e capazes de ganhar muito dinheiro. Contudo, é importante saber que enriquecer e possuir propriedades e bens não é pecado. O pecado está em viver para isso, esquecendo-se de Deus e das pessoas.

Por isso é importante refletir nisto: o melhor remédio contra a ganância é dar, é contribuir generosa e regularmente para aliviar o sofrimento de outros e para manter e fazer avançar o reino de Deus neste mundo (1Tm 6.17-19).

Para refletir

1. Seu projeto de vida inclui ganhar dinheiro para ajudar pessoas e investir no reino de Deus através de dízimos e ofertas?

2. Quão consciente você está da brevidade da vida, da transitoriedade dos bens materiais e do fato de que daremos conta a Deus do uso de nossos recursos?
3. Já pensou que ser rico não garante a felicidade e que mesmo vivendo em pobreza você pode ser rico para com Deus e desfrutar alegrias e prazeres espirituais que nenhum ouro deste mundo pode comprar?

4
A teologia da prosperidade

A teologia da prosperidade continua a ter grande influência em igrejas evangélicas no Brasil e se baseia no ensino de que, se o crente tiver fé nas promessas de Deus e for fiel nos dízimos e nas ofertas, será sempre próspero e saudável. Ela teve início com o neopentecostalismo nos Estados Unidos, na década de 1980. Aqui no Brasil, predomina em meios neopentecostais e tem como principais representantes Edir Macedo (Igreja Universal do Reino de Deus), R. R. Soares (Igreja Internacional da Graça) e Valdemiro Santiago (Igreja Mundial do Poder de Deus).

Uma das razões da dificuldade dos evangélicos de perceberem o erro teológico da teologia da prosperidade é que ela difere das heresias clássicas. Ela não nega diretamente nenhuma das verdades fundamentais do cristianismo, como ocorre, por exemplo, com a visão sobre a pessoa de Cristo defendida por mórmons e testemunhas de Jeová. A questão é de ênfase.

A teologia da prosperidade, semelhantemente à teologia da libertação e ao movimento de batalha espiritual, identifica um ponto biblicamente correto, abstrai-o do contexto maior das Escrituras e utiliza-o como lente através da qual faz uma releitura de toda a revelação, excluindo as passagens que não se encaixam em sua definição. O resultado é uma religião tão diferente da Bíblia que dificilmente poderia ser considerada cristianismo pelas igrejas históricas.

As afirmações e omissões da teologia da prosperidade geram um desequilíbrio bíblico sobre o tema. Vejamos nove de seus ensinos.

1. *Bênçãos materiais dadas por Deus.* Os pregadores da prosperidade afirmam, corretamente, que Deus tem prazer em abençoar seus filhos com bênçãos materiais. O salmista diz sobre Deus: "Quando abres tua mão, satisfazes o anseio de todos os seres vivos" (Sl 145.16). O Senhor Jesus nos ensinou que Deus, como pai bondoso, "dará bons presentes aos que lhe pedirem" (Mt 7.11). Podemos confiar que nosso Pai celestial cuida de nossas necessidades.

Contudo, a teologia da prosperidade omite que toda bênção material vinda de Deus é graça e não direito adquirido. A Bíblia é muito clara ao enfatizar a bondade e a generosidade de Deus em nos conceder essas dádivas. Assim disse Moisés ao povo de Israel: "[Deus] fez tudo isso para que vocês jamais viessem a pensar: 'Conquistei toda esta riqueza com minha própria força e capacidade'. Lembrem-se do SENHOR, seu Deus. É ele que lhes dá força para serem bem-sucedidos" (Dt 8.17-18). Isso significa que não podemos reivindicar a Deus ou exigir dele que nos conceda bens materiais como se tivéssemos direito a eles. Exigir de Deus prosperidade é um ensino errôneo, assim como fazer campanhas para esse fim e estabelecer propósitos para alcançá-la.

2. *Oração por bênçãos materiais.* Igrejas que adotam a teologia da prosperidade ensinam, corretamente, que podemos pedir a Deus bênçãos materiais. O apóstolo João orava para que Gaio, seu filho na fé, fosse próspero e saudável (3Jo 1.2). Somos encorajados a pedir o pão nosso de cada dia (Mt 6.11). Muitas passagens da Bíblia nos ensinam a orar e a pedir a Deus o que desejamos e precisamos.

Contudo, a teologia da prosperidade ignora que Deus tem

o direito de não responder a orações por bênçãos materiais, e isso não se dá por nossa falta de fé ou fidelidade, mas por sua vontade soberana. Moisés pediu a Deus que lhe permitisse entrar na terra prometida, e lhe foi negado (Dt 3.23-29). Paulo queria ser liberto do tremendo incômodo de um espinho na carne, mas Deus lhe negou o pedido (2Co 12.7-9). Fazer campanhas de oração, estabelecer propósitos, orar no monte e jejuar, nada disso obriga Deus a nos conceder bens, saúde e libertação de males. Devemos lembrar que ele nos atende conforme a vontade dele. O Senhor é infinitamente sábio e sabe o que é melhor para nós (1Jo 5.14).

3. *Declaração de prosperidade.* Trata-se da prática da confissão positiva, ou seja, o fiel deve declarar confiantemente o poder e a bondade de Deus, na certeza de que ele já atendeu aos pedidos de prosperidade e saúde. É comum que seguidores dessas igrejas declarem a cura, a prosperidade e a libertação de seus males. O que está por trás do "declarar" é a ideia não bíblica de que nossas palavras têm poder para criar realidades no mundo material. Se, por um lado, devemos sempre declarar as virtudes de nosso Deus (Sl 22.22; 71.18; 75.1), por outro não temos o poder de realizar curas e obter vitórias apenas "declarando". Nossas palavras não têm poder algum em si mesmas para levar Deus a abençoar-nos materialmente.

4. *Dízimos e a obrigação de Deus.* A entrega de dízimos é fortemente incentivada e enfatizada nas igrejas que adotam a teologia da prosperidade. O dízimo é visto como lei divina e como condição para que Deus libere bênçãos materiais. A liderança exerce uma grande pressão psicológica sobre os fiéis com base em passagens como Malaquias 3.8-11, em que Deus ameaça os israelitas infiéis nos dízimos, chamando-os de ladrões e

ameaçando-os com o "devorador", geralmente interpretado como um demônio que ataca a prosperidade dos infiéis.

Não podemos negar que servir a Deus com nossos dízimos é uma prática bíblica. Ela já existia antes da lei de Moisés e não foi revogada no Novo Testamento; ao contrário, ela deve ser proporcional, regular e concedida como expressão de nossa gratidão. No entanto, não se encontra no Novo Testamento o menor indício de que Deus condicione bênçãos materiais à fidelidade nos dízimos. Tampouco há qualquer menção de que arruinará financeiramente o cristão que não cultive o hábito de contribuir, pois nesse caso quem contribuísse regularmente teria o direito de exigir bênçãos materiais de Deus. Na verdade, a entrega do dízimo deve ser expressão de nossa gratidão e adoração a Deus, não de barganha para obter algum tipo de retribuição. "Deus ama quem dá com alegria" (2Co 9.7). Ele não tem a menor obrigação de retribuir financeiramente a quem "planta uma semente" com seu dízimo.

5. *Os demônios e a miséria humana.* A teologia da prosperidade acerta quando identifica a existência de poderes malignos por trás da opressão humana. A Bíblia nos ensina que os demônios podem oprimir pessoas, atacando-as nas áreas das finanças e da saúde. Satanás tirou todos os bens de Jó (Jó 1.9-12). Manteve encurvada uma mulher israelita durante dezoito anos (Lc 13.11). Ele atua nos filhos da desobediência (Ef 2.1-3). Ataques satânicos também podem ser dirigidos à saúde e aos bens de cristãos, casos com os quais devemos lidar com extremo cuidado e cautela. Uma vez identificada a origem maligna da opressão, podemos orar em nome do Senhor Jesus para que Satanás se afaste. A oração é parte da armadura do cristão na guerra espiritual contra os poderes do mundo das trevas (Ef 6.14-18).

Contudo, existem outros fatores responsáveis pela miséria humana, como a corrupção, a desonestidade, a ganância, a mentira e a injustiça, que se combatem não com expulsão de demônios e quebra de maldições, mas com ações concretas no âmbito social, político e econômico, quer individuais, quer coletivas. Se considerarmos que apenas os demônios são responsáveis pelos males que nos afligem, perderemos de vista o ensino bíblico de que grande parte de nossos males resulta de nossos pecados e de que precisamos arrepender-nos e buscar a Deus para que sejamos livres.

6. *A importância da fé*. Os pregadores da prosperidade também acertam quando destacam a importância e o poder da fé para obter o que pedimos de Deus. Muitas passagens da Bíblia nos ensinam a orar com fé, na certeza de que Deus nos responderá. O Senhor Jesus disse: "Se crerem, receberão qualquer coisa que pedirem em oração" (Mt 21.22). Com base nessa e em outras passagens semelhantes, pastores da prosperidade acusam os crentes de falta de fé se não receberem bênçãos materiais após uma campanha ou o estabelecimento de um propósito. No entanto, a fé não é garantia de que Deus nos dará tudo que lhe pedirmos. Na verdade, a fé nos garante que nosso Deus nos ouve e nos responde de acordo com o que ele sabe ser melhor para nós. Paulo disse que "não sabemos orar segundo a vontade de Deus" (Rm 8.26-28). Orações com fé sempre serão respondidas, mas de acordo com o critério final para todas as coisas, que é a perfeita e agradável vontade de Deus (Rm 12.1-2).

7. *A busca de uma vida melhor aqui no mundo*. A teologia da prosperidade está correta quando nos encoraja a buscar uma vida melhor. Deus criou o ser humano, colocou-o em um jardim e deu-lhe toda a criação para que ele a dominasse e dela usufruísse (Gn 1.28). Prometeu a Abraão uma vida melhor

numa terra que produzia leite e mel com fartura (Gn 12.1-2). Paulo disse que, se um cristão chamado como escravo tivesse a oportunidade de se tornar livre, deveria aproveitar aquela oportunidade (1Co 7.21). É lícito ao crente querer prosperar financeiramente, ascender socialmente, reunir melhores condições para si e sua família.

Entretanto, a teologia da prosperidade esquece que deixar de ascender socialmente e de alcançar poderio financeiro não é sinal de infidelidade do crente nem prova de que Deus o esteja castigando. Em outras palavras, a riqueza não é sinal de aprovação da parte de Deus assim como uma vida modesta, simples e apertada não é sinal do desfavor divino.

Na relação dos heróis da fé do Antigo Testamento encontramos aqueles que não tinham morada fixa, viviam em cavernas, vestidos com peles de animais, afligidos e necessitados (Hb 11.36-38). O próprio apóstolo Paulo menciona em seus relatos de sofrimento que passava fome, sede, frio, nudez e não tinha onde morar (1Co 4.9-13; 2Co 6.4-10; 11.23-29).

A história da igreja está cheia de exemplos de pessoas pobres, vivendo em miséria extrema — como em alguns países hoje —, que demonstram forte confiança e dependência de Deus, mesmo diante do martírio.

8. *Buscar a Deus*. A teologia da prosperidade acerta quando nos encoraja a buscar a Deus para que ele nos supra as necessidades. O próprio Deus nos convida a fazê-lo. Jesus ensinou os discípulos a buscarem a Deus a fim de terem as necessidades atendidas, ainda que ele já saiba do que precisamos (Mt 6.7-8,11). Paulo assegura a seus leitores que Deus haverá de suprir todas as suas necessidades (Fp 4.19).

Mas a teologia da prosperidade erra quando induz os crentes a buscarem em primeiro lugar o que a Bíblia constantemente considera secundário, passageiro e provisório: os bens materiais e a saúde. O foco das igrejas que adotam essa teologia está direcionado para campanhas, propósitos, vigílias e cultos em prol da vitória financeira e da libertação dos males. Jesus repreendeu aqueles que o seguiam por causa do pão (Jo 6.26). O próprio Jesus rejeitou a tentação de Satanás de transformar pedras em pães (Mt 4.3). Não é errado buscar a Deus para obter bênçãos materiais, mas é errado fazer disso a principal motivação para as orações e o relacionamento com ele.

9. *Deus abençoava materialmente seu povo no Antigo Testamento*. Os defensores da teologia da prosperidade corretamente nos lembram de que as bênçãos materiais faziam parte das promessas de Deus a Israel. Uma das mais conhecidas é a que está em Deuteronômio 28.1-14, em que Deus promete chuvas, colheitas, aumento do gado, saúde e vitória contra os inimigos se os israelitas obedecessem a seus mandamentos.

Entretanto, os teólogos da prosperidade parecem ignorar que essas promessas foram feitas ao povo de Deus quando ele existia como nação, com território, governo, exército, leis civis e um sistema econômico. Israel era a nação que mantinha uma aliança com Deus. Era uma teocracia. Portanto, as bênçãos de Deus para a nação baseavam-se nessa aliança e tinham de ser necessariamente materiais: prosperidade econômica, vitória militar sobre os inimigos, expansão de seus territórios.

A igreja cristã, que é a herdeira espiritual de Israel, não é uma nação. Ainda temos uma aliança com Deus, mas não está condicionada à obtenção de bênçãos materiais por parte de Deus. A igreja não tem território nem sistema econômico. Seu povo é um povo espiritual, oriundo de todas as tribos, raças e povos. Embora Deus, por sua vontade, possa abençoar materialmente os cristãos, o foco do Novo Testamento está nas bênçãos espirituais, como justificação, santificação e finalmente glorificação (Ef 1.3).

Não podemos tomar passagens do Antigo Testamento em que Deus promete bênçãos materiais a Israel *como nação* e aplicá-las ao cristão *individualmente*. Isso não significa que Deus não nos abençoe com bens materiais, mas apenas que ele não nos promete fazê-lo como recompensa pela obediência.

Feita essa reflexão, é preciso entender que a Bíblia nos adverte dos falsos profetas que se levantarão dentro da igreja a fim de mercadejar o evangelho para enriquecer às custas dos incautos (Mt 7.15; 2Pe 2.1-3; 1Tm 6.5). Por isso precisamos rejeitar veementemente qualquer ensinamento que use a Bíblia como um meio de enriquecer líderes religiosos cujo ensino se alheie do fim para o qual Deus nos deu sua Palavra. A Bíblia nos ensina a servir a Deus não pelo que ele pode nos dar, mas pelo que ele é. Devemos estar prontos a nos manter firmes na fé mesmo quando nos faltem saúde e bens materiais, como declarou o profeta Habacuque (Hc 3.17-18).

Deus não é nosso devedor. Deus não é obrigado a nos conceder bens materiais, como um tipo de barganha por nossa fidelidade em dízimos e ofertas, campanhas ou propósitos firmados. Deus não nos deve absolutamente nada. Tudo que dele recebemos é meramente por sua *graça e misericórdia*. Tudo nos vem com um bilhetinho em que se lê: "cortesia do Todo-poderoso".

Para refletir

1. Qual é sua maior motivação para ser crente em Jesus Cristo, ir à igreja, orar e ler a Bíblia?

2. Como você reage quando faltam recursos financeiros ou saúde?
3. Você acha que Deus deveria lhe dar uma condição melhor na vida, depois de tantos anos dando dízimo e ofertas?

5
O que é mordomia cristã

Quando ouvimos a palavra "mordomia", pensamos em regalias e favores concedidos. Quando ouvimos a palavra "mordomo", pensamos em um romance ou filme policial em que essa figura é quase sempre o criminoso. Mas não são esses os sentidos em que tais termos são usados quando nos referimos à "mordomia cristã".

A palavra "mordomo" origina-se do latim *major domus*, que significa o principal administrador de uma casa (*major* = principal e *domus* = casa), e é nesse sentido que a palavra é usada na Bíblia. Em Lucas 16.1-9, por exemplo, Jesus nos conta a parábola do administrador infiel. Gênesis 24.2 menciona Eliézer, mordomo dos bens de seu patrão, Abraão, e Gênesis 39.4-6 mostra José como mordomo dos bens de Potifar.

No âmbito bíblico, dá-se o nome de mordomia ao ensinamento de que o homem é mordomo dos bens que Deus lhe confiou. Mordomia cristã, portanto, é a aplicação desse ensinamento à vida do cristão, que por sua vez deve ter consciência de que tudo que possui vem de Deus, sendo ele apenas um administrador, e que Deus haverá de chamá-lo para prestar contas sobre a administração dos recursos que lhe foram confiados.

Esse conceito e sua relação com nossas contribuições para a obra de Deus são importantes e devem ser bem compreendidos. A base bíblica para o conceito de mordomia cristã é, primeiro, que Deus criou tudo que existe e, segundo, que ele colocou o homem como administrador de sua criação.

O primeiro ponto fundamental que a Bíblia ensina com clareza é que Deus criou em seis dias e pela Palavra de seu poder tudo que existe (Gn 1.1-31; Hb 11.3), sendo ele, portanto, o Senhor, o dono, de toda a criação: "Os céus são teus, a terra é tua, tudo que há no mundo pertence a ti; tu fizeste todas as coisas" (Sl 89.11). "A terra e tudo que nela há são do SENHOR; o mundo e todos os seus habitantes lhe pertencem" (Sl 24.1).

Deus é tido nas Escrituras como o Rei do universo. Ele reina sobre toda a sua criação (Sl 47.2,7; 96.10) e exatamente por isso pode entregá-la a quem quiser. E foi assim que prometeu dar a Abraão a terra de Canaã como lugar de sua habitação (Gn 12.1-3), expulsando de lá sete nações cananitas. Porque ele é Rei, pode também conceder bens, dádivas, posses a quem quiser. Por ter criado o mundo por seu próprio poder e vontade, Deus é dono de tudo: do universo (Gn 14.22; 1Cr 29.13-14), da vida (Cl 1.16; Jo 1.3), da terra (Sl 24), dos animais (Sl 50.10), da prata e do ouro (Ag 2.8), do homem (Gn 1.27) e do nosso corpo (1Co 6.19-20).

As Escrituras também nos ensinam que, ao criar o ser humano, Deus lhe entregou o cuidado de sua criação. Esse é o segundo ponto fundamental da doutrina da mordomia cristã:

> Então Deus disse: "Vejam! Eu lhes dou todas as plantas com sementes em toda a terra e todas as árvores frutíferas, para que lhes sirvam de alimento. E dou todas as plantas verdes como alimento a todos os seres vivos: aos animais selvagens, às aves do céu e aos animais que rastejam pelo chão". E assim aconteceu.
>
> Gênesis 1.29-30

No relato mais detalhado de Gênesis 2, lemos que o Senhor encarregou o homem de cuidar do jardim e nomear os animais que havia criado (Gn 2.15; 2.19-20). Esse ponto é refletido em várias passagens da Bíblia, como em Salmos 115.16: "Os céus pertencem ao SENHOR, mas ele deu a terra à humanidade".

O rei Davi também reflete esse ensinamento em Salmos 8.3-8:

> Quando olho para o céu e contemplo a obra de teus dedos,
>   a lua e as estrelas que ali puseste, pergunto:
> Quem são os simples mortais,
>   para que penses neles?
> Quem são os seres humanos,
>   para que com eles te importes?
> E, no entanto, os fizeste apenas um pouco menores que Deus
>   e os coroaste de glória e honra.
> Tu os encarregaste de tudo que criaste
>   e puseste sob a autoridade deles todas as coisas:
> os rebanhos, o gado
>   e todos os animais selvagens;
> as aves do céu, os peixes do mar
>   e tudo que percorre as correntes dos oceanos.

O Senhor Jesus contou várias parábolas em que pessoas se tornaram mordomos de bens que lhes foram confiados por Deus, como a parábola do servo vigilante (Lc 12.35-48) e a parábola dos talentos (Mt 25.14-30). Também ensinou que no dia do juízo Deus haverá de exigir uma prestação de contas do uso desses bens.

É preciso deixar claro que Deus não concedeu a gerência de sua criação ao homem para que este a usasse a seu bel-prazer, tendo como alvo o prazer e a glória humanos. Ao contrário, o Senhor nos concedeu bens e dádivas para que os usássemos para sua glória, para seu louvor. Essa é a finalidade maior ao administrarmos tudo que o Senhor nos concede, desde o tempo até os bens materiais.

Mas a queda da humanidade trouxe consequências. Por causa da desobediência de Adão, Deus amaldiçoou a terra (Gn 3.17-19). A criação, antes perfeita, agora estava maculada pelo pecado daquele que fora encarregado de cuidar dela. Contudo, embora Deus, em sua misericórdia e sabedoria, não revogasse a responsabilidade de Adão e de seus descendentes como gerentes da criação, o que antes constituía um deleite e prazer agora se tornaria espinhoso, doloroso e difícil. A natureza, que antes era um jardim, agora produziria ervas daninhas, espinhos e mato, dificultando enormemente para o homem o cultivo e a extração de seu sustento.

Assim, a humanidade, mesmo depois da queda, continua responsável diante de Deus pela criação e pelos bens que recebe, para por meio deles glorificar a Deus. Embora esteja decaído e seja por natureza hostil a Deus, o ser humano continua sob o mandamento que recebeu por ocasião de sua criação. E Deus haverá de julgá-lo de acordo com o que tiver feito com o que lhe foi confiado.

O cristão tem um motivo adicional para ser bom mordomo dos bens recebidos, pois sabe que Deus está redimindo a criação mediante a obra de Cristo na cruz, que toda a natureza será restaurada na vinda do Senhor (Rm 8.18-25) e que haveremos de participar do novo céu e da nova terra (2Pe 3.7,10-13; Ap 21.1-4).

Nossa responsabilidade diante de tudo isso fica evidente. Devemos administrar fielmente tudo que nosso Deus nos concede aqui neste mundo: o *tempo*, o *corpo*, os *dons*.

O *tempo* é uma dádiva de Deus ao homem e, por resumir-se aos anos que ele nos concede de vida, é limitado e dele devemos prestar contas. A Bíblia nos adverte dos vários pecados relacionados ao mau uso do tempo, como a preguiça, a procrastinação, o ócio e a vadiagem. Um dos Dez Mandamentos está relacionado especificamente ao uso do tempo:

> Lembre-se de guardar o sábado, fazendo dele um dia santo. Você tem seis dias na semana para fazer os trabalhos habituais, mas o sétimo dia é o sábado do SENHOR, seu Deus. Nesse dia, ninguém em sua casa fará trabalho algum: nem você, nem seus filhos e filhas, nem seus servos e servas, nem seus animais, nem os estrangeiros que vivem entre vocês.
>
> Êxodo 20.8-10

Sabedores de que nosso tempo é limitado e que Deus haverá de nos chamar a prestar contas dele, devemos remir o tempo (Ef 5.15-16), isto é, resgatá-lo da inutilidade ocupando-nos de maneira boa e justa. Precisamos conscientizar-nos de que nossos dias estão contados e que não podemos desperdiçá-los (Sl 90.12). Assim, é preciso planejar bem o uso do tempo, sabendo que há tempo para todo propósito debaixo do céu (Ec 3.1).

O Senhor Jesus ensinou aos discípulos que a história segue o plano determinado por Deus e que o tempo de sua vinda está próximo. Diante disso, como bons mordomos, devemos estar sempre prontos, usando o tempo que nos resta para ocupar-nos com o que glorifica seu nome (Rm 13.1; Ap 1.3).

Além do tempo, Deus, diferentemente do que fez com os anjos, também nos deu um *corpo* e dele somos mordomos. As Escrituras nos ensinam a ter especial cuidado com o corpo, que é a habitação de Deus. Desde a proibição do adultério até a proibição do assassinato, vários dos Dez Mandamentos estão relacionados ao uso que fazemos do corpo (Êx 20.13-14). Por isso, precisamos de tranquilidade mental, de alegria de espírito, de sobriedade na alimentação, na ingestão de bebidas e de remédios, de sono reparador, de trabalho responsável e de recreação. Inversamente, estão proibidas a negligência com a preservação da vida, a ira pecaminosa, o ódio, a inveja, o desejo de vingança, as paixões e os cuidados desmedidos, as palavras provocadoras, a opressão, a contenda, os espancamentos, os ferimentos e tudo que leve à destruição da vida.

Ao observar tais mandamentos, glorificamos a Deus com nosso corpo (1Co 6.20; Fp 1.20), pois ele é templo da habitação de Deus pelo Espírito (1Co 6.19-20) e devemos dedicá-lo ao louvor e à glória de Deus em todo tempo (Rm 12.1-2), pois um dia daremos conta a Deus do uso que fizemos dele (2Co 5.10).

Mas, além do tempo e do corpo, Deus nos deu *dons espirituais* para que pudéssemos edificar sua igreja e glorificar seu nome. Somos, portanto, mordomos de nossos dons espirituais. Escrevendo a Timóteo, Paulo o exorta a não negligenciar o dom espiritual que havia recebido por ocasião de sua ordenação, pela imposição de mãos do presbitério (1Tm 4.14). Timóteo era um evangelista e deveria exercer seu dom diligente e proveitosamente para a glória de Deus.

O apóstolo Pedro exorta seus leitores a serem bons mordomos dos dons espirituais que receberam: "Deus concedeu um dom a cada um, e vocês devem usá-lo para servir uns aos outros, fazendo bom uso da múltipla e variada graça divina" (1Pe 4.10). Então explica como podemos ser bons mordomos desses dons, exemplificando com os dons de ensino e serviço (4.11). Deus nos concedeu dons espirituais através dos quais devemos servir uns aos outros. Nesse sentido, somos despenseiros ou mordomos da graça de Deus, pela qual esses dons nos foram dados.

Somos maus mordomos de nossos dons quando deixamos de exercê-los na comunidade dos crentes, recusando-nos a servir de acordo com as habilidades e capacidades que Deus nos deu ou fazendo-o desleixadamente.

Mas além da mordomia do tempo, do corpo e dos dons espirituais, todos relacionados a nós como indivíduos, também somos mordomos de nossos *recursos materiais*. A questão é como lidar com eles de modo a sermos mordomos fiéis.

Somos mordomos fiéis quando reconhecemos que nada nos pertence. Tendemos a pensar que os bens materiais nos pertencem e que podemos usá-los e empregá-los para os fins que desejamos. Contudo, já vimos que nada nos pertence de fato. Deus é dono de tudo e como tal deseja que usemos nossos bens para sua glória.

Somos mordomos fiéis quando usamos os bens materiais para a glória de Deus. O dinheiro em si não é bom nem mau; o que é bom ou mau é o uso que fazemos dele. Um bom uso do dinheiro, como mordomos fiéis, é empregá-lo no sustento da família, no alívio dos pobres e na manutenção da obra de Deus. Não significa, porém, que não podemos usar recursos para o lazer, por exemplo, mas ele deve glorificar a Deus.

Somos mordomos fiéis quando contribuímos para a obra de Deus. Como bons mordomos dos bens concedidos por Deus, devemos empregar parte deles no sustento da obra do Senhor, o que se traduz na entrega do dízimo de tudo que recebemos, além de ofertas em tempos de necessidade.

Em suma, boa parte dos problemas que enfrentamos no mundo decorre do uso errôneo que fazemos do tempo, do corpo, dos dons e dos recursos financeiros. A doutrina da mordomia cristã nos ajuda a enxergar o mundo da perspectiva bíblica: não vivemos para nós mesmos; em vez disso, somos gerentes encarregados de administrar o que recebemos com uma única finalidade, que é a glória de Deus.

Quando nos conscientizamos disso, nossa vida toma outra direção, independentemente dos eventos do dia a dia. Viver para a glória de Deus é o maior e melhor propósito de nossa existência.

Para refletir

1. Você já planejou o uso que fará de seu tempo amanhã? O que fará em cada hora de seu dia? Reservou tempo para ler a Bíblia e orar?
2. Você vê seu corpo como um templo onde Deus habita? Como isso afeta o cuidado e o uso que você dispensa a ele?
3. Ciente de que Deus pedirá contas da administração de seus recursos financeiros, você acha que tem usado seu dinheiro de modo agradável a Deus?

6
A graça de contribuir

Em sua segunda carta aos coríntios, Paulo instrui a igreja a respeito de uma oferta que estava sendo levantada para ajudar os crentes pobres da Judeia. Uma grande fome assolou a região durante o reinado do imperador Cláudio trazendo grande sofrimento aos habitantes, o que incluía os judeus cristãos que ali residiam. A igreja de Antioquia, por meio de Paulo e Barnabé, assim como outras igrejas gentílicas e da região da Macedônia enviaram ofertas a Jerusalém a fim de ajudar a suprir a necessidade daqueles cristãos (At 11.30).

Contudo, apesar da disposição da igreja de Corinto de também fazê-lo, passado um ano a oferta ainda não estava completamente arrecadada. Paulo planejava visitá-los para tratar de assuntos referentes à igreja, e essa seria uma oportunidade de despertar os coríntios para que doassem generosamente.

Os capítulos 8 e 9 de 2Coríntios são sem dúvida um dos textos mais importantes da Bíblia sobre o tema da contribuição, mais especificamente sobre dízimos e ofertas. Como lhe é característico, Paulo trata questões práticas a partir de princípios teológicos no intuito de explicar por que os cristãos deveriam seguir suas orientações.

Paulo começa o capítulo 8 mostrando que *contribuir é graça* (8.1). Ele introduz o assunto informando aos coríntios a generosidade das igrejas da Macedônia, referida como graça de Deus concedida àqueles irmãos como resposta à solicitação deles (8.4,6-7).

Em que sentido contribuir é graça de Deus? Primeiro, porque a contribuição generosa e voluntária resulta da ação graciosa de Deus, mediante o Espírito Santo, no coração do crente, inclinando-o e habilitando-o a repartir livremente seus bens com outros. Somos criaturas caídas. Tendemos a nos agarrar com todas as forças aos bens que possuímos por representarem nossa sobrevivência, segurança e conforto. Em outras palavras, a garantia de um futuro tranquilo. Para que o coração se desapegue voluntariamente do dinheiro, é preciso a atuação graciosa de Deus. Quando os crentes da Macedônia tomaram a iniciativa voluntária de participar da oferta, Paulo percebeu tratar-se da ação graciosa de Deus no coração daqueles irmãos.

Segundo, contribuir é graça por ser um privilégio que Deus nos concede de abençoar pessoas por meio dos bens que ele nos deu. Participar no alívio do sofrimento alheio e na propagação do evangelho é um favor que Deus nos concede, não um fardo. Muitos cristãos, porém, não enxergam a contribuição como graça, como favor imerecido concedido por Deus; antes, entendem-na como obrigação penosa, como desencargo de consciência dos deveres de cristão. Contribuir é uma graça que poucos querem!

Terceiro, contribuir é graça porque Deus nos permite participar com ele do sustento e do cuidado de seu povo. É o Senhor quem cuida de nós, quem acode ao necessitado, quem levanta, sustenta e envia obreiros para cuidar do rebanho. É pura graça cooperar com Deus nessa obra! Trata-se de um alto privilégio concedido pelo Senhor.

Paulo ainda diz que a *graça de contribuir é um privilégio também para os pobres e sofredores* (8.2-4), e expõe os efeitos da ação graciosa de Deus no coração dos crentes da Macedônia. Primeiro, "no meio de muita prova de tribulação, manifestaram abundância de alegria" (8.2a, RA). Quando surgiu a ideia da oferta para os pobres da Judeia, os crentes da Macedônia poderiam ter dito: "Somos pobres e estamos passando por muita tribulação, sofrimento e provações. Não temos como contribuir no momento". De fato, lemos no livro de Atos que Paulo enfrentou grande sofrimento em Filipos por pregar o evangelho, sofrimento que se tornou o de todos aqueles que, como Lídia e o carcereiro da cidade, haviam passado a crer em Jesus (At 16.11-40). Os crentes de Tessalônica, como Jasom e outros irmãos, também enfrentavam perseguição (At 17.1-9). No entanto, em meio a toda essa tribulação, eles manifestaram grande alegria em contribuir para os irmãos carentes da Judeia (Rm 15.26).

Segundo, "a profunda pobreza deles superabundou em grande riqueza da sua generosidade" (2Co 8.2b, RA). Lembremos que muitos cristãos daquelas cidades eram pobres, como o carcereiro de Filipos, cidade onde moravam muitos soldados aposentados. Órfãos, viúvas, pequenos comerciantes, diaristas, escravos e soldados compunham a maior parte das igrejas no primeiro século. A pobreza era grande. Contudo, a generosidade desses irmãos era inversamente proporcional à sua pobreza. O que tinham de pobre, tinham de generosos! Somente a graça de Deus pode fazer isso!

Terceiro, "deram não apenas o que podiam, mas muito além disso, e o fizeram por iniciativa própria" (8.3). Paulo tinha sido testemunha disso ao trazer a ideia de oferta aos irmãos da Judeia. Muitos crentes da Macedônia se sacrificaram financeiramente. Apenas a graça de Deus habilita atos dessa natureza.

Quarto, "eles nos suplicaram repetidamente o privilégio de participar da oferta ao povo santo" (8.4). Não se trata de uma cena comum nas igrejas: cristãos rogando pelo privilégio de participarem numa oferta para o reino de Deus! O que vemos é sempre o contrário: pastores rogando aos crentes que contribuam para a causa do evangelho, não raro sem muito resultado. Mas o poder da graça de Deus conquista o egoísmo e a avareza no coração dos crentes, possibilitando ações dessa natureza.

Ao mencionar os resultados da ação graciosa de Deus nas igrejas da Macedônia, Paulo deseja estimular os coríntios a procederem da mesma forma. O exemplo dos macedônios certamente nos inspira hoje. Tribulações e problemas financeiros não são empecilhos para contribuirmos com alegria e generosidade.

Nesse ponto, porém, Paulo tem o cuidado de esclarecer que a generosidade dos crentes da Macedônia foi precedida da consagração deles ao Senhor. Ou seja, *contribuição e consagração andam juntas*: "Fizeram até mais do que esperávamos, pois seu primeiro passo foi entregar-se ao Senhor e a nós, como era desejo de Deus" (8.5).

Em primeiro lugar, eles se entregaram ao Senhor Jesus, e com isso Paulo se refere à conversão deles, ocorrida por meio de seu ministério naquelas cidades. À conversão seguiu-se a dedicação da vida e dos bens de cada um ao Salvador. Sem isso, tal generosidade seria impossível.

Em segundo lugar, os macedônios se entregaram "a nós", diz Paulo, isto é, entregaram suas ofertas generosas como expressão de sua total entrega ao Senhor. A verdadeira conversão produz efeitos no bolso do convertido. Após conhecer o Senhor Jesus, Zaqueu, o cobrador de impostos, abriu o bolso para restituir o que havia roubado e para dar generosamente aos pobres (Lc 19.1-10).

O exemplo oposto é o de Ananias e Safira, cujo coração não pertencia totalmente ao Senhor. A oferta deles foi uma fachada para vidas não consagradas a Cristo. Queriam parecer piedosos e generosos, mas paralelamente alimentavam a avareza de sua alma (At 5.1-11).

A consagração dos macedônios, tanto de si mesmos como de seus bens, leva Paulo a exortar os coríntios a completarem o que haviam iniciado, afinal *não bastam boas intenções, é preciso colocá-las em prática* (2Co 8.6-11).

Paulo pediu a Tito — seu colaborador que havia começado a recolher as ofertas — que continuasse e ajudasse a igreja de Corinto a completar aquele ato de amor. Tito provavelmente se encontrava na igreja de Corinto quando Paulo escreveu essa carta, e certamente a leria. Os coríntios já haviam demonstrado possuir boas intenções de colaborar. Contudo, o tempo passara e Paulo considerou que a oferta levantada até então estava aquém da capacidade deles de contribuir. Boas intenções não encheriam a barriga dos crentes famintos de Jerusalém. Assim, Paulo os exorta a manifestarem abundância no contribuir, a exemplo da demonstrada superabundância "na fé, nos discursos eloquentes, no conhecimento, no entusiasmo e no amor" para com o próprio apóstolo (8.7).

Para evitar parecer que estivesse constrangendo os coríntios ao usar o exemplo dos macedônios, Paulo se apressa em explicar que as comparações e as exortações para que fossem generosos não consistiam em um mandamento apostólico. Ele não está usando (e abusando) de sua autoridade apostólica, mas testando a sinceridade do amor que os coríntios afirmavam ter pelo Senhor e pelos demais crentes. E ele traz o exemplo de Cristo: "Vocês conhecem a graça de nosso Senhor Jesus Cristo. Embora fosse rico, por amor a vocês ele se fez pobre, para que por meio da pobreza dele vocês se tornassem ricos" (8.9).

O Senhor esvaziou a si mesmo, assumiu nossa humanidade, viveu pobre e sofrido, e morreu na cruz para que os coríntios, condenados ao inferno por seus pecados, pudessem ser salvos, perdoados e feitos filhos de Deus. O amor de Cristo não ficou apenas na boa intenção. Traduziu-se em ações concretas de entrega e esvaziamento pelo bem de seu povo. Da mesma forma, os crentes de Corinto deveriam contribuir generosamente para ajudar os pobres de Jerusalém. Paulo termina essa parte exortando os coríntios a completarem a obra começada. Eles haviam principiado "há um ano", mostrando boa vontade para contribuir (8.10). Agora estava na hora de colocar em prática o desejado e concluir a arrecadação.

Muitos cristãos se comprometem, por ocasião de seu batismo e profissão de fé, a contribuir para o sustento da causa. Contudo, a boa intenção de muitos fica somente nisto: promessas vazias. Deus requer de nós não somente o querer mas também o realizar. A exortação de Paulo aos coríntios é clara: *devemos contribuir de acordo com o que temos* (8.11b-15). A contribuição proporcional à condição financeira é a mais lógica e a que mais se encaixa na perspectiva bíblica. Paulo desenvolve alguns argumentos em torno desse conceito de proporcionalidade.

Primeiro, se uma pessoa contribui de acordo com o que tem e de boa vontade, a oferta é aceita por Deus, independentemente do valor ofertado (8.12). Deus não pede o que a pessoa não tem, e o exemplo disso é a oferta oferecida pela viúva pobre. O valor era compatível com o que ela possuía, ainda que diante das ofertas dos ricos fosse nada. Contudo, Deus aceitou sua oferta dada a prontidão com que ela a ofereceu (Mc 12.41-44). A contribuição dizimal regular atende a esse critério de boa vontade e proporcionalidade.

Segundo, o critério da contribuição proporcional tem como objetivo a igualdade (8.13-14). A abundância dos coríntios naquele momento supriria a necessidade dos irmãos de Jerusalém, trazendo-lhes alívio. Um dia, eles poderiam vir a retribuir trazendo alívio aos coríntios. Nessa ajuda mútua, que não se deve tornar uma sobrecarga para os que têm mais, a igreja de Cristo vive a igualdade entre seus membros, ajudando-se mutuamente para que nada falte aos aflitos. Paulo ilustra esse ponto citando o episódio em que Deus sustentou os israelitas no deserto com o maná caído do céu (8.15). De acordo com a narrativa de Êxodo 16.18, quem colheu muito maná, nada lhe sobrou, e quem colheu pouco, de nada teve falta. Ou seja, no final, todos ficaram satisfeitos e tiveram o suficiente. O mesmo aconteceria nas igrejas, se seguíssemos a lei da proporcionalidade e da igualdade, contribuindo generosamente para o reino.

Algumas conclusões podem ser extraídas dos princípios contidos no capítulo 8 da segunda carta aos coríntios.

Primeira, podemos mensurar quanto a graça de Deus opera no coração das pessoas pela contribuição oferecida em prol do reino de Deus. Corações alcançados pela graça são acompanhados da generosidade.

Segunda, mesmo os crentes mais desprovidos têm o privilégio de contribuir. Deus aceita nossas ofertas não com base em numerário, mas na disposição do coração.

Terceira, as Escrituras não tratam como obrigatória a contribuição dos crentes para as causas do reino de Deus, antes a veem como expressão voluntária do amor a Deus e de gratidão por suas bênçãos.

Quarta, mais que a nossa oferta, Deus quer a nós mesmos. As ofertas são apenas o meio de demonstrar nossa anterior entrega a Deus e de reconhecer que a ele tudo pertence.

E Paulo vai além. Ele começa o capítulo 9 retomando a questão da oferta, mas também afirmando que *não deveria ser necessário falar sobre isso* (9.1), uma vez que todos deveriam saber da importância de contribuir para as necessidades dos outros e estar prontos a fazê-lo de coração.

A disposição dos coríntios em contribuir com uma oferta era motivo de orgulho para o apóstolo, pois a dedicação deles fora um *estímulo para outras igrejas* (9.2). Muitos cristãos ficaram animados com a boa vontade da igreja de Corinto. No entanto, quando as igrejas não correspondem generosamente à graça de Deus, *seus líderes sentem-se envergonhados* (9.3-5). Embora essa não deva ser evidentemente a principal motivação para que os membros contribuam com generosidade, Paulo emprega esse argumento em um esforço de encorajar os coríntios a concluírem a oferta para os crentes da Judeia.

A dádiva dos coríntios já havia sido anunciada por Paulo às igrejas da Macedônia. Mas agora, talvez pela tensão existente entre ele e a igreja de Corinto, o apóstolo estivesse receoso de ter-se gabado em vão acerca da generosidade deles. Então, para evitar a vergonha de uma oferta irrisória e ultimar o processo de levantamento, Paulo enviara dois irmãos a Corinto, a fim de cuidar que a oferta prometida estivesse pronta (9.5).

Paulo então introduz o princípio da *semeadura e da colheita* (9.6-7). Colhemos o que plantamos. Nossas contribuições são comparadas a sementes plantadas, cujo fruto são as bênçãos recebidas de Deus, que não necessariamente se traduzem em bens materiais, mas incluem alegria de contribuir, de abençoar os necessitados e de trazer glória a Deus.

Se semeamos pouco — isto é, se contribuímos muito abaixo daquilo que poderíamos —, também assim ceifamos, mas quando contribuímos generosamente recebemos bênçãos abundantes de Deus. A lei da semeadura e da colheita, entretanto, não deve ser usada como forma de barganha com Deus, como ocorre frequentemente com igrejas que adotam a teologia da prosperidade. Ofertar não é uma forma de negociata com Deus, em que os cristãos são encorajados a "plantar uma semente" visando a prosperidade financeira.

Como Paulo explica, o sentimento correto ao contribuirmos é fazê-lo com alegria, que por sua vez decorre do privilégio de podermos repartir os bens que Deus nos concede com outros que deles precisam. "Deus ama quem dá com alegria", diz o texto (9.7), pois o próprio Deus se compraz em nos abençoar materialmente. Ele se alegra em dar aos seus filhos. Por isso, não devemos contribuir com tristeza, isto é, relutando em separar-nos do dinheiro, com o coração apertado e cheio de pesar pensando no que poderíamos fazer com aquele recurso. Tampouco "por necessidade", por obrigação, constrangidos, como quem está simplesmente cumprindo um dever. Não é assim que a lei da semeadura e da colheita funciona.

Devemos contribuir de acordo com o que está no coração. Essa resolução deve ser tomada levando em conta todos os pontos aqui mencionados. Com a expressão "cada um deve decidir em seu coração quanto dar" (9.7) o apóstolo não está dizendo que cada um deve contribuir de acordo com os próprios critérios. Por isso ele emprega dois capítulos dessa carta para apresentar aos coríntios os princípios da contribuição. O que ele quer dizer é que, à luz desses princípios, devemos propor em nosso coração contribuir de forma generosa, voluntária e proporcional aos benefícios que o Senhor nos tem dado. É assim que funciona a lei da semeadura.

Deus nos abençoa financeiramente para que possamos abençoar outros (9.8-11), para que sejamos abundantes em toda boa obra. Podemos perceber três conceitos nessa passagem. Primeiro, Deus pode nos dar muito mais do que precisamos. Ele é o dono de todas as riquezas e pode dispor delas como desejar. Ele se alegra em abençoar financeiramente os seus filhos e o faz abundantemente. Segundo, Deus assim age para que sempre tenhamos nossas necessidades supridas, e ainda mais. Portanto, também devemos ajudar a suprir as necessidades de outros. Terceiro, Deus nos abençoa abundantemente para fazermos todo tipo de boas obras, que são as ações realizadas de acordo com a vontade de Deus, expressa na Bíblia, e que tem como objetivo glorificá-lo por meio da assistência a sua igreja e aos necessitados.

Paulo lança mão de duas ilustrações para corroborar suas palavras: a do homem generoso, mencionado em Salmos 112.9, e a do conceito de semeadura e colheita, baseado em Isaías 55.10. O salmista descreve o homem justo e piedoso, que distribuiu seus bens entre os pobres como resultado da justiça de Deus, que permanece para sempre: "Compartilha generosamente com os pobres, e seus atos de justiça [de Deus] serão lembrados para sempre; ele terá influência e honra".

Já o profeta Isaías ensina que Deus nos supre com o necessário para haver semeadura e colheita: semente, terra, chuva e sol: "A chuva e a neve descem dos céus e na terra permanecem até regá-la. Fazem brotar os cereais e produzem sementes para o agricultor e pão para os famintos". Ele dá a semente (recursos) para semearmos (contribuirmos) bênçãos para os outros (frutos). O ponto é este: é Deus quem nos abençoa para que possamos abençoar os outros. Portanto, ao ser abençoado, abençoe! Distribua, dê, na proporção em que Deus lhe dá: generosamente.

A generosidade nas contribuições resulta na glória de Deus (2Co 9.11-15). As ofertas dos crentes de Corinto provocariam várias reações nas igrejas da Judeia, que as receberiam. As ofertas supririam, em primeiro lugar, "as necessidades do povo santo" (9.12). Muitos não tinham o que comer e vestir. Colheitas inteiras se haviam perdido, o gado e as ovelhas, morrido. Era um momento de grande necessidade. As ofertas dos coríntios ajudariam a minorar o sofrimento daquele povo.

Em segundo lugar, as ofertas transbordariam em orações de gratidão a Deus (9.11b-12), por entenderem que o socorro, em última análise, viera dele, a quem, em terceiro lugar, glorificariam grandemente (9.13) pela obediência dos coríntios à sua confissão de serem servos de Cristo e pela generosidade com que contribuíram. Eles sabiam que apenas pela graça de Deus corações se abrem generosamente para a necessidade de outros.

Em quarto e último lugar, eles intercederiam a Deus pela igreja de Corinto (9.14). A oração era tudo que tinham a dar em retribuição. Mas haveria algo mais precioso que isso? Quantos benefícios a generosidade dos crentes de Corinto haveria de trazer! Não sem razão Paulo termina dizendo: "Graças a Deus por essa dádiva tão maravilhosa" (9.15). Essa dádiva nada mais é que a capacidade vinda de Deus de sermos generosos e darmos com liberalidade. Davi a reconheceu em sua oração de gratidão a Deus pela generosidade do povo de Israel em doar materiais e bens para a construção do futuro templo (1Cr 29.14).

Os capítulos 8 e 9 da segunda carta de Paulo aos coríntios nos ensinam claramente que contribuir com generosidade para a obra de Deus é parte de nós, como cristãos. Trata-se de um tema que, por ser mal interpretado devido aos abusos cometidos por algumas igrejas da teologia da prosperidade, precisa ser constantemente ensinado e lembrado aos membros das igrejas, com base no que as Escrituras de fato dizem.

Nossas contribuições devem ser generosas, voluntárias e ofertadas com amor e alegria. Dízimos e ofertas não devem ser interpretados como lei ou fardo. Nem como um meio de barganhar com Deus. Ao contrário: trata-se de graça, alegria, privilégio, oportunidade de demonstrar de maneira prática nosso amor a Deus e aos irmãos.

Por fim, devemos sempre dar toda glória a Deus, pois tudo provém dele: a semente para semearmos e o pão para comermos. Dele provêm a graça de contribuir generosamente e os recursos financeiros para isso.

Para refletir

1. Como você vê o ato de contribuir com dízimos e ofertas: como graça concedida por Deus ou como pesado fardo?
2. Você tem colocado em prática suas resoluções pessoais de contribuir regularmente para o reino de Deus ou tem ficado apenas na intenção?
3. Com que coração você entrega o dízimo ou as ofertas? Contribui com o máximo ou o mínimo?
4. Você tem agradecido a Deus pelas bênçãos recebidas como fruto das ofertas e dos dízimos de outras pessoas?
5. Você vê suas contribuições como uma maneira de trazer glória a Deus?

7
Levantando o tabernáculo

O livro de Êxodo traz o relato da libertação do povo de Israel do cativeiro no Egito. Após a travessia miraculosa do mar Vermelho, Moisés conduz o povo ao monte Sinai. Enquanto os israelitas acampavam ao pé do monte, ele sobe ao encontro do Senhor, e lá permanece por quarenta dias recebendo de Deus as leis que seriam dadas ao povo de Israel (Êx 14—19). Ao descer, Moisés entrega ao povo os Dez Mandamentos e leis acerca de vários assuntos, entre os quais leis civis, religiosas e sobre falso testemunho, calendário de festas religiosas e datas especiais. Com isso, o Senhor reafirma aos israelitas sua promessa de dar-lhes a terra prometida e celebra com eles a aliança (Êx 20—24).

Deus, então, orienta Moisés a pedir ao povo que traga ofertas para a construção do tabernáculo (25.1-7), e nesse ponto é importante fazer algumas observações. Primeiro, a oferta individual destinava-se a Deus (25.1), uma vez que o tabernáculo seria a expressão de sua presença no meio do povo e visava a sua glória. Segundo, a oferta deveria ser voluntária (25.2), o que revelaria quem realmente amava o Senhor de todo o coração e a ele era grato. O Senhor receberia a oferta de "todos cujo coração os dispuser a doar".

Terceiro, a oferta consistia em dádivas de toda espécie (25.3-7), que seriam utilizadas na confecção dos utensílios do tabernáculo, no revestimento de suas paredes e ainda na produção da indumentária que os sacerdotes vestiriam durante a ministração do culto ao Senhor. A variedade de bens requeridos era uma oportunidade para que todos pudessem participar de alguma forma. Quem não possuía ouro ou prata poderia trazer, por exemplo, pelos de cabra, peles de carneiro ou óleo de oliva para as lâmpadas. Um exemplo que poderia ser aplicado hoje. A obra de Deus necessita não somente de recursos financeiros, mas de doações de utensílios, mobília, vestuário, eletrodomésticos, computadores, alimentos. Todos podem cooperar para o avanço da obra do Senhor.

As ofertas, portanto, seriam utilizadas para construir e erigir a tenda a ser usada como local de encontro de Deus com Israel (25.8). Sua estrutura deveria permitir portabilidade, uma vez que Israel peregrinaria muitos anos no deserto. Seu interior abrigaria os sinais da aliança de Deus com os israelitas, a arca e as tábuas da lei. Nela se daria a propiciação dos pecados do povo e Deus aceitaria suas ofertas pacíficas, ministradas pelos sacerdotes da tribo de Levi. Por isso Deus se refere ao tabernáculo como santuário, a tenda sagrada em que ele habitaria no meio de seu povo, e sua presença seria marcada pela nuvem da glória que pairaria sobre ela.

Nossos templos já não têm essa função, pois Deus "não habita em templos feitos por homens" (At 17.24). O tabernáculo era uma figura de Cristo e de sua igreja. Contudo, ainda que não sejam sagradas nem santas, nem essenciais e indispensáveis, as igrejas são locais separados e dedicados ao culto a Deus. Além disso, elas nos permitem realizar atividades com o fim de promover a educação, o discipulado e a evangelização. Edifícios precisam de manutenção, cuidados, melhoramentos, equipamentos e mobília para que o nosso serviço espiritual ao Senhor seja feito com eficiência e ordem.

Uma vez levantadas as ofertas, Deus revela a Moisés os

detalhes referentes ao mobiliário e aos utensílios que o comporiam, bem como sobre as vestes dos sacerdotes e levitas que haveriam de fazer toda a ministração do culto.

É importante examinar esse inventário, pois seu detalhamento perante o povo de Israel (Êx 25.10-40; 27.1-8,20-21; 30.1-10,17-21; 31.1-11) afirma a necessidade de transparência nas igrejas quanto ao uso das ofertas e dos dízimos trazidos pelos membros. Êxodo 35.10-19 traz um resumo de todos os itens:

> O tabernáculo, tanto a tenda como a cobertura, os colchetes, as armações, os travessões, as colunas e as bases;
> a arca e as varas para transportá-la;
> a tampa da arca, que é o lugar de expiação;
> a cortina interna que protege a arca;
> a mesa, as varas para transportá-la e todos os seus utensílios;
> os pães da presença;
> o candelabro, seus acessórios, as lâmpadas e o óleo de oliva para a iluminação;
> o altar de incenso e as varas para transportá-lo;
> o óleo da unção e o incenso perfumado;
> a cortina para a entrada do tabernáculo;
> o altar do holocausto;
> a grelha de bronze do altar, as varas para transportá-lo e seus utensílios;
> a bacia de bronze e seu suporte;
> a cortina para as divisórias do pátio;
> as colunas e suas bases;
> a cortina para a entrada do pátio;
> as estacas do tabernáculo e do pátio e suas cordas;
> as roupas finamente confeccionadas para os sacerdotes vestirem durante o serviço no lugar santo, as roupas sagradas do sacerdote Arão e de seus filhos que também são sacerdotes.

Cada um desses itens tinha um significado espiritual. Eram tipos, figuras e símbolos da pessoa e da obra de Cristo. O autor de Hebreus faz referência ao tabernáculo e sua mobília e explica que a própria disposição desses itens no interior do santuário tem um sentido figurado e espiritual (9.6-10), ainda que, infelizmente, não nos explique o significado deles, limitando-se a dizer: "Mas agora não é o momento de explicar essas coisas em detalhes" (9.5).

Apesar disso, encontramos no Novo Testamento referências que nos permitem ver o significado de algumas dessas peças. Ao referir-se a Cristo, por exemplo, como sendo o sacrifício pelo pecado, Paulo tem em mente a tampa da arca da aliança, onde se encontravam os querubins de ouro e onde se derramava, uma vez por ano, o sangue para propiciação dos pecados de Israel (Rm 3.25). Isso nos mostra que, para cultuar a Deus, já não precisamos de um santuário com móveis e utensílios. Essa era a maneira de adorar prescrita por Deus no Antigo Testamento. Contudo, o princípio permanece. Hoje, o povo de Deus oferta voluntariamente para que o culto prescrito no Novo Testamento ocorra da melhor maneira possível, e para que a obra de Deus avance.

Lembremos ainda que mais tarde Deus determina que os dízimos do povo sejam usados não somente nas provisões para o tabernáculo, mas também para a manutenção dos sacerdotes e levitas, responsáveis pelo serviço divino. Igualmente hoje, como disse o Senhor, "aos que pregam o evangelho que vivam do evangelho" (1Co 9.14).

Uma vez determinado o levantamento do tabernáculo, a obra foi entregue nas mãos de pessoas hábeis (Êx 31.1-5; 35.30-35). Deus levantou os artífices necessários visto que essa empreitada exigia mão de obra especializada. Deus encheu com seu Espírito a Bezalel, um "exímio artesão, perito no trabalho com ouro, prata e bronze", a quem o Senhor concedeu "grande sabedoria, habilidade e perícia para trabalhos artísticos de todo tipo" (31.3-4). Além dele, Deus chamou vários outros igualmente capacitados para ajudá-lo (31.6). Habilidades manuais, capacidade técnica, inteligência arquitetônica, visão e percepção física e mentalidade matemática são também alguns dos talentos concedidos pelo Espírito de Deus para uso em sua obra.

O povo de Deus havia respondido ofertando generosa e voluntariamente daquilo que tinham (35.20-29). Deve ter sido uma cena maravilhosa. Mais tarde, Paulo ecoaria esse princípio ao ensinar aos coríntios: "Tudo que derem será aceitável, desde que o façam de boa vontade, de acordo com o que têm, e não com o que não têm" (2Co 8.12).

Lendo esse texto de Êxodo, talvez nos perguntemos: de onde viera tanta riqueza, considerando que os israelitas haviam acabado de ser libertados da escravidão do Egito, onde permaneceram 430 anos? Os homens haviam trabalhado nas construções egípcias (Êx 1.8-14) e as mulheres, como empregadas, cozinheiras, cuidadoras, a exemplo da mãe de Moisés (2.7-9). Entretanto, embora se tratasse de uma nação pobre, escrava, Deus havia providenciado as riquezas necessárias à construção de seu santuário. Quando ele apareceu a Moisés e ordenou-lhe que fosse ao Egito libertar seu povo, disse:

> Farei que os egípcios sejam bondosos com os israelitas, e assim vocês não sairão do Egito de mãos vazias. Toda mulher israelita pedirá de suas vizinhas egípcias e das mulheres que as visitam artigos de ouro e prata e roupas caras, com as quais vestirão seus filhos e suas filhas. Desse modo, vocês tomarão para si as riquezas dos egípcios.
>
> Êxodo 3.21-23

E Deus tocou o coração dos egípcios. Os israelitas partiram cheios de riquezas, o que era justo após terem servido aos egípcios durante anos na mais dura escravidão. Contudo, o plano de Deus, que ainda não havia sido revelado a Moisés e aos filhos de Israel, era empregar essas riquezas na construção de seu santuário. Deus providenciou aquilo que ele mesmo haveria de requerer de seu povo. O santuário de Deus foi levantado graças à sua providência e à generosidade de seu povo.

O princípio permanece, assim como as lições da história de sua construção. O Senhor nos dá em abundância para que não apenas satisfaçamos nossas necessidades, mas para que também possamos suprir as necessidades de sua obra e das pessoas.

Para refletir

1. Você parou para pensar que as bênçãos materiais que Deus lhe concede já constituem a provisão dele para o sustento de sua obra?
2. A falta de recursos na igreja, quando deveria haver abundância, não seria resultado de nossa omissão em ofertar com gratidão?

8
Mercadores da fé

A história da igreja cristã contém muitos relatos de líderes que se aproveitaram da fé dos crentes para enriquecimento próprio. Esse fato tem servido não somente para descrédito da igreja diante da sociedade como também para lançar sobre as igrejas uma sombra de desconfiança quando o tema é a contribuição financeira. Não são poucos aqueles que foram lesados financeira e espiritualmente por falsos profetas e que, céticos, se afastaram do convívio das igrejas.

Embora mercenários cristãos tenham existido e atuado ao longo de toda a história da igreja, destacaremos sua ação em três períodos, separados por séculos, mas que apresentam os mesmos sintomas e os mesmos métodos: o período apostólico, a Idade Média e a época atual.

O Senhor Jesus, ao ministrar aos discípulos, já os advertia das artimanhas de alguns fariseus, que movidos pelo lucro exploravam as viúvas (Mt 23.14). Lucas nos diz em seu evangelho que os fariseus tinham grande amor ao dinheiro (Lc 16.14). Eles exploravam o povo manipulando a legislação mosaica, que era acrescida da tradição oral, a ponto de requerer para o templo — de onde tiravam seu sustento — aquilo que judeus piedosos desejavam destinar ao sustento dos pais (Mc 7.11-13).

O Senhor também advertiu os discípulos sobre o surgimento de falsos profetas, que como lobos esfomeados e ávidos por dinheiro viriam em nome de Jesus para enganar os incautos e apropriar-se de seus recursos (Mt 7.15).

Não demorou muito para que as predições do Senhor se tornassem realidade. Já no *período apostólico*, iniciado após sua morte e ressurreição, homens gananciosos se levantaram dentro da igreja. Aos presbíteros de Éfeso, Paulo mencionou "lobos ferozes", falsos mestres que motivados pelo dinheiro surgiriam no meio deles (At 20.29-30,33). Escrevendo aos coríntios, Paulo denunciou os falsos mestres que se infiltravam em seu meio fazendo "da palavra de Deus um artigo de comércio" (2Co 2.17), contrastando com o fato de que ele nunca havia explorado a igreja de Corinto financeiramente (2Co 12.17-18).

Em sua primeira carta a Timóteo, o apóstolo o adverte contra aqueles que ensinam outra doutrina e que são motivados pelo lucro financeiro, supondo que a devoção é uma forma de enriquecer (1Tm 6.3-10). Aos romanos, Paulo mencionou os que não seguiam a doutrina apostólica e advertiu-os a não dar ouvidos ao ensino deles, pois "esses indivíduos não servem a Cristo, nosso Senhor, mas apenas a seus próprios interesses" (Rm 16.18). A Tito Paulo disse que era preciso calar os falsos mestres, pois "com seus ensinamentos falsos, têm desviado famílias inteiras da verdade. Sua motivação é obter lucro desonesto" (Tt 1.11).

O apóstolo Pedro igualmente denunciou os falsos mestres que, apresentando-se como enviados de Cristo, infiltravam-se nas igrejas cristãs com disfarçadas intenções gananciosas: "Em sua ganância, inventarão mentiras astutas para explorar vocês" (2Pe 2.1-3). Nos mesmos termos, Judas denuncia falsos mestres, motivados pela ganância (Jd 1.11).

Esses textos nos mostram que, desde seu início, a igreja cristã se viu atacada por homens gananciosos, avarentos, espertalhões, que viram no ensino cristão da contribuição, dos dízimos e das ofertas um meio de ganhar dinheiro fácil. Infelizmente, por falta de critério e discernimento, muitos seguiram suas falsas promessas e mentiras, vendo-se mais tarde lesados.

Mas foi durante o *período da Idade Média* que o lucro com as coisas da fé atingiu um patamar nunca antes testemunhado na história. Passado o período apostólico, a fé cristã começou a mesclar-se com superstições e conceitos populares oriundos de outras religiões que infestavam o mundo antigo. Muito embora Deus sempre tenha preservado a verdadeira fé no meio de seu povo, não podemos ignorar os grandes desvios teológicos e doutrinários que surgiram após o período dos chamados "pais da igreja". A doutrina das relíquias é um exemplo. A relíquia era uma parte do corpo ou das vestes de um mártir cristão, ou algum objeto associado a ele, ao qual a crendice popular e líderes inescrupulosos atribuíam poderes miraculosos. Assim, pedaços de ossos, unhas, cabelo, restos de túnicas e objetos de uso pessoal dessas pessoas eram cobiçados e buscados. Acreditava-se, até mesmo, que morrer e ser enterrado com uma relíquia poderia garantir a vida eterna.

Não tardou, portanto, a surgir o comércio de falsas relíquias com o objetivo de atrair o povo às igrejas ou aos mosteiros onde essas supostas relíquias estavam guardadas e assim lucrar financeiramente com as ofertas e contribuições. Eram objetos ligados a Cristo, Maria e aos apóstolos, coisas como o manto de Jesus, o manto da Virgem Maria, frascos com leite da Virgem Maria, cachos de seus cabelos, lascas da cruz de Cristo, frascos com seu sangue, pregos usados em sua crucificação, espinhos de sua coroa, a lança que o traspassou e, o mais famoso, o Santo Sudário, guardado numa catedral em Turim, na Itália.

Incentivado pela igreja católica, que lucrava muito, esse comércio atingiu proporções absurdas. Paulinus, bispo católico do século 4, comentou em umas de suas cartas a multiplicação de um pedacinho da verdadeira cruz que lhe fora presenteado e que mantinha o poder sobrenatural do original.

Naturalmente os reformadores do século 16 revoltaram-se contra esse tipo de atividade. Em seu *Tratado das Relíquias*, publicado em 1543, João Calvino disse: "Se quiséssemos recolher tudo o que já foi encontrado [da cruz de Cristo], daria para lotar um navio. O Evangelho conta que a cruz podia ser levada por um homem. Encher a Terra com tamanha quantidade de fragmentos de madeira que nem trezentos homens aguentariam levar é uma desfaçatez".

Calvino menciona ainda que existiam ao menos catorze pregos da cruz de Cristo espalhados pela Europa! As coisas chegaram ao cúmulo de a Catedral de Colônia, na Alemanha, exibir, em 1164, o corpo dos três reis magos, relíquias que já vinham andando de catedral em catedral.

O propósito disso tudo era o lucro financeiro, evidentemente. Não havia uma cidade da Europa que não tivesse um santuário ou igreja onde se guardasse alguma relíquia associada a Jesus, Maria ou algum santo, estimulando peregrinações e ofertas generosas durante as missas. A exemplo dos falsos mestres do período apostólico, que inventaram novas doutrinas para também obter vantagens financeiras, papas, bispos e padres fomentaram o culto das relíquias com o mesmo fim.

Mas os desvios não se limitaram às relíquias. Outra fonte de riqueza foram as imagens de Jesus, Maria e dos santos. Quando abençoadas por um padre, elas adquiriam uma importância espiritual profunda para o católico devoto e por isso eram colocadas em lugar de destaque, um santuário especificamente preparado para elas, em sua casa ou comércio. Além das imagens, havia ainda os crucifixos, rosários, cruzes, pinturas, velas, incensos, medalhas, óleos e unguentos santos.

Outra "mina de ouro" do sacerdócio romano foi a denominada doutrina do purgatório, que gerou milhões para a igreja de Roma nesse período. Associada ao purgatório vieram as indulgências, ou seja, o perdão de pecados assinado pelo papa. Na teologia católica, o papa tem jurisdição pessoal sobre o purgatório, podendo conceder abreviação do tempo de sofrimento ou cancelamento dessa etapa. As indulgências são concedidas em troca de doações, boas obras ou serviços prestados à igreja. A base para a concessão desse perdão é o tesouro de méritos da igreja, que é o sofrimento acumulado de Cristo e dos santos, e que podem ser usados em benefício de quem adquire uma indulgência.

Historicamente, as indulgências têm origem no perdão total prometido pelo papa Urbano II aos soldados católicos que morressem nas cruzadas contra os muçulmanos. A partir de então, elas se tornaram um tipo de remuneração permanente para a igreja de Roma. O ápice ocorreu com o papa Leão X (1513–1521), que prometeu àqueles que adquirissem todas as indulgências a absolvição do pecado e a liberação das chamas do purgatório. Ele precisava de recursos para construir a Catedral de São Pedro, em Roma, e mandou seus vendedores de indulgências pela Europa a fim de consegui-los. E foi assim que Tetzel, um dos frades incumbidos dessa tarefa, chegou à região de Wittenberg, na Alemanha. Essa prática corrupta de extorquir dinheiro do povo revoltou Martinho Lutero, precipitando a Reforma Protestante (1517).

As indulgências ainda são uma prática do catolicismo moderno.

E assim chegamos à terceira fase da história: *o período atual*. Como vimos, várias igrejas neopentecostais abraçam a teologia da prosperidade, e algumas delas ganharam notoriedade por mercadejar a fé. A mais conhecida é a Igreja Universal do Reino de Deus (IURD), que estimula uma troca com Deus, ou seja, suas bênçãos — quer materiais (prosperidade, saúde, emprego, bens materiais) quer espirituais (como libertação e cura) — serão derramadas sobre o fiel proporcionalmente ao valor da oferta. A base para esse ensino está erroneamente em 2Coríntios 9.6.

Na teologia apregoada pela IURD, o dinheiro ganha um *status* quase sacramental. Segundo Edir Macedo, seu fundador, as ofertas e os dízimos são a chave que abre os tesouros da graça e do poder divinos. Quando pagamos o dízimo a Deus, ele fica obrigado (porque prometeu) a cumprir sua palavra, repreendendo os espíritos devoradores que desgraçam a vida do ser humano, atuando nas doenças, nos acidentes, nos vícios, na degradação social e em todos os setores da atividade humana responsáveis pelo sofrimento do ser humano. Quando somos fiéis nos dízimos, diz ele, além de nos livrarmos desses sofrimentos, passamos a gozar de toda a plenitude da Terra, tendo Deus ao nosso lado, abençoando-nos em todas as coisas.

Há uma notável semelhança entre a IURD e a igreja católica medieval quanto à tentativa de obter a graça de Deus por meio de esforços humanos: naquela época, pela compra das indulgências; agora, pela compra do sucesso através das intermináveis correntes de prosperidade que demandam do fiel doações em todo culto, sob pena de não alcançar a bênção.

Outro ponto de semelhança com a igreja católica medieval e moderna é a unção de objetos supostamente capazes de transmitir bênçãos, como sal grosso (para afastar maus espíritos), a rosa ungida, a água fluidificada (usada para trazer a influência espiritual para o corpo humano), fitas e pulseiras, o ramo de arruda (usado para afastar coisas más), e muitos outros. Valendo-se da ingenuidade dos crédulos e com suas promessas vazias de prosperidade, a IURD arrecada milhões com a venda desse tipo de objeto, prática adotada por muitas outras igrejas neopentecostais.

Lamentavelmente o ensino cristão sobre generosidade, dízimos e ofertas tem sido bastante distorcido e usado com leviandade ao longo da história da igreja. Mas isso não pode ser empecilho para ignorar o ensino bíblico sobre o dever e o privilégio do cristão de contribuir financeiramente para o avanço e a manutenção da obra de Deus.

Se, por um lado, existem os mercadores da fé, por outro existem líderes fiéis e motivados correta e biblicamente para o serviço do Senhor, usando doações, ofertas e dízimos generosos dos membros para fazer avançar a obra de Deus.

Para refletir

1. Você tem usado como desculpa os abusos cometidos por algumas igrejas para não contribuir em sua igreja?
2. Você confia que a liderança de sua igreja esteja usando corretamente os recursos disponibilizados com generosidade pelos membros?

9
Gaio, Diótrefes e Demétrio

O cristianismo apostólico se expandiu a uma velocidade extraordinária e alcançou uma dimensão prodigiosa no primeiro século de sua existência devido, em um primeiro momento, ao trabalho dos apóstolos de Jesus Cristo, particularmente ao trabalho missionário de Paulo. Mas não se pode minimizar a importância daqueles que cooperaram de outras formas para que a obra de Deus se espalhasse pelo mundo romano.

Incontáveis cristãos entregaram-se, como missionários, à tarefa de evangelizar o mundo da época. Muitos cooperaram encaminhando missionários às regiões onde não havia ainda nenhum testemunho cristão, estratégia que acelerou e facilitou o avanço. Outros ainda cediam sua casa como posto avançado da obra evangélica, hospedando, alimentando, encorajando e apoiando financeiramente irmãos e obreiros que rumavam aos campos missionários.

Um desses cristãos foi Gaio, "encaminhador" dos irmãos enviados pelo apóstolo João para evangelizar os gentios. A história de Gaio e seu trabalho ficaram registrados numa pequena carta escrita por João sobre as dificuldades que Gaio enfrentava com Diótrefes, principal líder de sua igreja. Esse texto, 3João, é relevante para nosso estudo por nos permitir desvendar a importância, para o avanço do reino, daqueles que, embora não sejam missionários, tornam-se cooperadores da missão por seu apoio e generosidade na área financeira.

João começa a carta identificando-se como "o presbítero", sobre quem não podia pairar dúvida alguma. Tratava-se do apóstolo João, o discípulo amado, como era conhecido. A carta é destinada a Gaio, provavelmente seu filho espiritual (3Jo 1.4), a quem diz amar "na verdade", uma expressão que nos escritos joaninos se refere ao evangelho de Jesus Cristo (1.1).

João pede a Deus pela saúde e prosperidade financeira de Gaio (1.2a), pois sabia da importância de cristãos financeiramente prósperos para o avanço do reino de Deus. Mas faz uma ressalva importante: ele pede que a prosperidade de Gaio seja proporcional a sua vida espiritual (1.2b). Pessoas com alto poder aquisitivo, mas não espiritual, tendem a usar esse poder para influenciar decisões da igreja, e nem sempre com motivação e metodologia correta. No entanto, Gaio era próspero financeira e espiritualmente. É desse tipo de pessoa que a igreja precisa.

João conhecia a prosperidade espiritual de Gaio pelo testemunho dos missionários, que lhe relataram o amor de Gaio ao acolhê-los e enviá-los aos campos (1.3). Nada poderia alegrar mais o apóstolo que ouvir que Gaio seguia a verdade (1.4). "Seguir a verdade" significa aqui praticar o que promove a verdade, ou seja, encaminhar aqueles que anunciariam a verdade aos gentios. Gaio mostrou-se fiel, dedicado, zeloso, generoso e com visão missionária voltada aos gentios, e assim desempenhou sua tarefa de enviar os missionários, mesmo quando ele não os conhecia (1.5b).

Não há elementos que nos levem a afirmar que Gaio fosse missionário, mas seu trabalho fiel de encaminhar às regiões mais remotas do império romano aqueles que Deus havia levantado para essa missão era crucial para a expansão do evangelho. Sem Gaio, João não poderia chegar aos confins da terra, por isso ele o encoraja a encaminhar os irmãos de maneira agradável a Deus (1.6b), o que significa também hospedá-los, alimentá-los, cuidar deles, encorajá-los e ajudá-los financeiramente.

Os missionários daquela época dependiam da generosidade dos crentes, estratégia estabelecida pelo próprio Cristo ao mandar os discípulos em pares para pregar nas vilas da Galileia:

> Instruiu-os a não levar coisa alguma na viagem, exceto um cajado. Não poderiam levar alimento, nem bolsa de viagem, nem dinheiro. Poderiam calçar sandálias, mas não levar uma muda de roupa extra. Disse ele: "Onde quer que forem, fiquem na mesma casa até partirem da cidade".
>
> Marcos 6.8-10

> "Permaneçam naquela casa e comam e bebam o que lhes derem, pois quem trabalha merece seu salário. Não fiquem mudando de casa em casa. Quando entrarem numa cidade e ela os receber bem, comam o que lhes oferecerem."
>
> Lucas 10.7-8

Gaio era um dos muitos que recebiam os enviados de Cristo em sua casa, alimentando-os, preparando-os e enviando-os, possivelmente com uma generosa oferta para as despesas. João, no entanto, acrescenta que Gaio deveria fazê-lo de "modo agradável a Deus" (1.6b), ou seja, tratando-os com amabilidade e generosidade, oferecendo-lhes o melhor, como enviados do Senhor para a sua obra. E João acrescenta três razões para isso. Primeira, eles deixaram o lar para evangelizar o mundo "a serviço do Senhor" (1.7a) motivados pelo grande amor que nutriam por Jesus e pelo desejo de obedecer a sua ordem de ir ao mundo pregar o evangelho (Mc 16.15). Segunda, eles começaram sua viagem a serviço de Cristo sem aceitar nenhum auxílio "dos que são de fora" (1.7b), o que demonstra que não desejavam aproveitar-se da generosidade de Gaio. Terceira, ao acolher esses irmãos, Gaio se tornaria cooperador da verdade, isto é, participaria do trabalho deles de anunciar a verdade (1.8).

Há um episódio no Antigo Testamento que ilustra bem esse último princípio. Trata-se do relato em que Davi determina que os despojos de guerra sejam divididos igualmente, incluindo os que ficaram na retaguarda guardando as bagagens (1Sm 30.24-25).

Essa passagem de João pontua o papel importante que aqueles cristãos de retaguarda desempenhavam na evangelização do mundo, mesmo sem sair de casa. William Carey, considerado o pai das missões modernas, em certa ocasião declarou à Sociedade Batista Missionária: "Eu descerei até à mina de ouro que é a Índia, mas lembrem que vocês precisam segurar as cordas". Sem Gaio para segurar as cordas, os irmãos não teriam conseguido descer às regiões gentílicas para anunciar o evangelho. E isso não mudou.

Mas nem todo mundo na igreja apostólica tinha a mesma visão missionária do apóstolo João e de seu discípulo Gaio. Ao que tudo indica, Diótrefes havia assumido uma posição de autoridade na igreja de Gaio (1.9) e vinha fazendo oposição ao projeto do apóstolo João de enviar missionários por meio de Gaio e de outros irmãos. Não conhecemos a verdadeira motivação dessa hostilidade. É possível que Diótrefes fosse de origem judaica, talvez farisaica, e não concordasse com a pregação do evangelho aos gentios (veja atitude similar de fariseus convertidos ao cristianismo em Atos 11.1-4; 15.1-5).

João desejava visitar a igreja e já havia escrito uma carta, na tentativa de compreender as razões de Diótrefes, mas este recusou-se a recebê-lo. O apóstolo se refere à recusa dele com a expressão "ele gosta de ser o mais importante" (1.9). Diótrefes era ambicioso, queria ocupar o primeiro lugar na igreja e ter suas ordens e seus desejos prontamente obedecidos. Ele via a influência do apóstolo João sobre Gaio e outros membros da igreja como uma ameaça a sua autoridade. No entanto, apesar da recusa de Diótrefes, João estava disposto a visitar a igreja e conversar abertamente sobre as acusações de que era vítima. Diótrefes chegara ao ponto, inimaginável para um cristão, de não receber os irmãos enviados por João e de expulsar aqueles que o fizessem em sua igreja (1.10).

Foi essa situação tensa que levou João a escrever sua terceira carta, que incentiva Gaio a fazer o que é bom e não se deixar influenciar pelo mau exemplo de Diótrefes (1.11a). Maus líderes são um péssimo exemplo para a igreja de Cristo. Essa busca por satisfazer a própria ambição emperra a obra de Deus e impede a visão missionária. Assim era Diótrefes. E assim são muitos hoje.

João acrescenta: "Quem faz o bem prova que é filho de Deus; quem faz o mal prova que não conhece a Deus" (1.11b). Praticar o bem seria, no contexto, cooperar com a obra missionária de evangelizar os gentios, conforme Deus havia ordenado. Era o que João fazia, e era o que Gaio deveria imitar. Diótrefes, por sua vez, fazia o que era mau, e pessoas assim, diz João, não conhecem a Deus, isto é, não são cristãos verdadeiros.

Essa era a triste verdade sobre Diótrefes. É amedrontador saber que pessoas não convertidas podem alcançar tal posição de autoridade na igreja. Contudo, suas obras demonstram a falta de amor e de compromisso com a evangelização e revelam um coração endurecido ou não convertido. Quando o cristão possui um coração endurecido, a obra de evangelização sofre. Sua falta de compromisso e envolvimento e a recusa em contribuir inserem-no, em certa medida, no grupo dos que militam contra a obra de Deus.

Mas João menciona ainda uma terceira pessoa: Demétrio, provavelmente o portador da carta. O apóstolo o recomenda a Gaio como um daqueles irmãos em quem poderia investir, acolher e enviar ao campo missionário. Disso davam testemunho ainda os demais irmãos e a "própria verdade" (1.12).

As histórias de João, Gaio, Diótrefes e Demétrio exemplificam a importância dos cristãos que mesmo não indo ao campo missionário possibilitam a ida de outros. Sem pessoas como Gaio, o cristianismo não teria se expandido para todas as províncias do império romano tão rapidamente.

Ainda hoje, diante da obra inacabada de evangelizar o mundo, precisamos de irmãos com visão missionária e generosidade para contribuir em prol da obra de Deus. Embora no Brasil a prática da hospedagem e o encaminhamento de missionários aos campos (feito em geral por juntas de missões) já não sejam tão comuns nas igrejas, ainda assim existem muitas maneiras de os membros contribuírem para o cumprimento da Grande Comissão. Uma delas é ofertar para missões.

Para refletir

1. Você consegue perceber a importância de sua oferta para o avanço do reino de Deus?
2. Mesmo sem ir ao campo missionário, você pode se tornar cooperador da expansão do evangelho no mundo. Isso faz sentido para você?

10
Como adquirir bens

Nas orientações práticas que o apóstolo Paulo escreveu aos crentes de Éfeso, encontra-se esta: "Quem é ladrão, pare de roubar. Em vez disso, use as mãos para trabalhar com empenho e honestidade e, assim, ajudar generosamente os necessitados" (Ef 4.28).

Nessa passagem, o apóstolo descreve três maneiras de ganhar dinheiro e satisfazer os desejos. Primeira: "quem é ladrão, pare de roubar", numa referência aos que satisfazem seu desejo de maneira ilegal, roubando. Segunda: "use as mãos para trabalhar com empenho e honestidade", remetendo aos que satisfazem seu desejo de maneira legal, trabalhando. Terceira: "e, assim, ajudar generosamente os necessitados", aludindo aos que trabalham não movidos pelo desejo de ter coisas, mas de ajudar os necessitados. E essa maneira de ganhar dinheiro é que representa o propósito de Deus para a nossa vida e a motivação correta para o trabalho.

Na primeira maneira de ganhar dinheiro, ou seja, *mediante o roubo,* há três questões que precisam ser consideradas. Primeira, a frase poderia ser traduzida como "aquele que está roubando". O roubo era tolerado nas sociedades pagãs antigas, como a grega, da qual os efésios faziam parte. A abordagem de Paulo sobre essa questão mostra que havia convertidos na igreja de Éfeso que ainda insistiam nessa prática, daí a determinação do apóstolo para sua suspensão imediata. Uma igreja verdadeiramente cristã não deve tolerar essa prática.

A segunda questão a considerar é que o roubo provém de nossa natureza pecaminosa. Ainda que reconheçamos que contextos sociais e econômicos de pobreza e falta de educação formal possam favorecê-lo, Jesus disse que o roubo deriva do coração humano (Mt 15.19). Achamos que o maior prazer da vida é possuir coisas. Aprendemos a roubar desde pequenos: chicletes no caixa do supermercado, canetas e borrachas dos colegas de classe. Mais tarde, aprendemos a colar nas provas. Roubamos na declaração de imposto de renda, roubamos dos empregados ou dos patrões, fazemos negócios ilícitos, enganamos uns aos outros. Tudo isso provém de nosso coração pecaminoso e corrompido, que só é capaz de mudar por meio de uma vida de comunhão com Cristo, no poder do Espírito.

A terceira questão é que, ao nos tornarmos cristãos, tudo isso muda. Ladrões podem ser perdoados e mudar, como aquele da cruz (Lc 23.39-43). A ordem de Paulo para que deixassem de roubar implica que é possível mudar e, assim, ser perdoado por Deus. Essa mudança vem pela fé em suas promessas (Hb 13.5-6), a qual suplanta sua motivação equivocada.

Na segunda maneira que Paulo menciona de ganhar dinheiro, ou seja, *trabalhando honestamente,* também podemos considerar três questões. A primeira é que preguiça e roubo andam juntos. Nesse texto de Efésios, o oposto de roubar é trabalhar. Não basta ser honesto. Precisamos trabalhar. É bem verdade que nem todo preguiçoso é ladrão, como nem todo ladrão é preguiçoso, no entanto, ainda que não se deva generalizar, a preguiça de trabalhar é o caminho de muitos para o roubo. Roubar sempre parece mais fácil que trabalhar duro a fim de alcançar os objetivos.

Isso está refletido na parábola do administrador desonesto, que roubava seu patrão. Confrontado com a provável demissão, começa a refletir nas possibilidades para ganhar, e trabalhar certamente não estava entre suas opções: "E agora? Meu patrão vai me demitir. Não tenho força para trabalhar no campo, e sou orgulhoso demais para mendigar" (Lc 16.3). Ele talvez fosse idoso ou doente, mas de qualquer modo trabalhar foi a primeira opção descartada. Paulo, contudo, deixa claro que o oposto de roubar é trabalhar com as próprias mãos, isto é, dar duro honestamente.

A segunda questão a considerar é que Deus ordenou o trabalho como meio de atingir nossos objetivos ou conseguir bens. Sem roubar, sem negócios ilícitos. A primeira providência do Senhor ao criar o homem foi, por assim dizer, colocar uma enxada em sua mão: "O SENHOR Deus colocou o homem no jardim do Éden para cultivá-lo e tomar conta dele" (Gn 2.15). E a punição por Adão ter comido do fruto proibido foi: "Com o suor do rosto você obterá alimento, até que volte à terra da qual foi formado. Pois você foi feito do pó, e ao pó voltará" (3.19). Êxodo 20.9 diz que devemos trabalhar seis dias. Em resumo, a vocação do homem é, desde cedo, trabalhar, pois assim Deus haveria de suprir-lhe as necessidades. Por isso estudamos, tornamo-nos profissionais em diferentes áreas, desenvolvemos aptidões. E é também o que esposas e mães fazem quando se dedicam integralmente ao árduo trabalho de cuidar da família.

A terceira questão a considerar é que devemos trabalhar fazendo o que é bom. Nem todo tipo de trabalho se encaixa nessa ordem de Paulo. Nem todo trabalho permite ao cristão fazer o que é bom, que nesse contexto se opõe a roubo. As mãos que roubavam agora devem trabalhar, sem envolvimentos escusos, que promovem a imoralidade, a dissolução e uma vida distanciada de Deus.

Muitos se justificam fazendo distinção entre fé e trabalho, crendo que a fé não guarda nenhuma relação com sua vida terrena. Esquecem-se de que Jesus Cristo é Senhor de todas as áreas de nossa vida, o que inclui o trabalho, eliminando com isso toda possibilidade de envolvimento com negócios ilícitos ou imorais, como prostituição, tráfico de drogas ou de pessoas, ou qualquer esquema ilegal para obter dinheiro fácil. Em contrapartida, ao ocupar-nos com o que é lícito e honesto, afastamo-nos das tentações, tão presentes entre os desocupados, que têm todo o tempo para maquinar e executar o mal. Paulo reclamou que havia entre os tessalonicenses alguns que viviam "ociosamente, recusando-se a trabalhar e intrometendo-se em assuntos alheios" (2Ts 3.11).

A terceira maneira de ganhar dinheiro e satisfazer nossos desejos está relacionada ao estilo de vida determinado por Deus para seu povo: trabalhar com as próprias mãos fazendo o que é bom a fim de *ajudar os necessitados*. Não basta simplesmente deixar de roubar. Não basta simplesmente trabalhar de maneira legítima. Deus quer que ganhemos dinheiro para ajudar pessoas, os necessitados.

Duas questões merecem reflexão quando adotamos esse estilo de vida. A primeira é que não devemos negligenciar a família. O propósito primeiro do trabalho é nosso sustento e daqueles que estão sob nossa responsabilidade, ainda que Paulo não o tenha mencionado explicitamente, por ser tão óbvio. No entanto, pode haver ocasiões extremas em que o sacrifício para ajudar outros, que não da família próxima, se faça urgente. Essas ocasiões devem ser analisadas, em oração, diante de Deus, especialmente se a decisão afetar os filhos. Embora haja exemplos de pessoas que abriram mão do próprio sustento para socorrer pobres em situação de extrema miséria, é preciso uma clara orientação de Deus para isso.

A ordem de Jesus para que o jovem rico vendesse tudo que possuía e desse aos pobres decorreu de sua postura idólatra em relação ao dinheiro e do fato de que ele tinha muito mais do que precisava para viver (Mc 10.21). O sacrifício dos primeiros cristãos em vender os bens para ajudar os pobres e as viúvas na igreja de Jerusalém não se tornou padrão das igrejas cristãs que a sucederam, mas decorreu de uma crise específica em Jerusalém (At 2.45).

A segunda questão a que devemos nos atentar quando adotamos esse estilo de vida é a motivação para trabalhar e ganhar dinheiro. Nosso objetivo não deve ser somente adquirir bens para usufruto próprio, mas ajudar outros e, com isso, mudar completamente nossa vida. O cristianismo elevou o padrão do trabalho, ao rejeitar, em primeiro lugar, uma visão egoísta dele (Lc 12.15). Muitos cristãos, porém, se deixam influenciar pelo consumismo, uma ideia da nossa sociedade de que a felicidade e a realização pessoal dependem do que temos. Daí o afã por consumir os produtos mais recentes das marcas mais famosas e reconhecidas.

O cristianismo elevou o padrão do trabalho ao ensinar, em segundo lugar, que devemos trabalhar com o objetivo de reunir recursos para ajudar pessoas, especialmente os pobres. Essa visão de trabalho nos liberta da avareza, do egoísmo e do amor ao dinheiro, concedendo-lhe um sentido mais elevado e nobre, além de nos tornar instrumento de bênçãos para outros. O Senhor nos ensinou a repartir com o necessitado (Lc 3.11). Elogiou a viúva pobre, que ofereceu seu sustento em prol de outros ao lançar seu dinheiro na caixa de ofertas do templo (Lc 21.1-4). Paulo elogiou as igrejas da Macedônia pela extrema generosidade em contribuir para os pobres de Jerusalém (2Co 8.2,12). Se temos como objetivo ganhar dinheiro para com ele sustentar a família e abençoar os necessitados, estamos no centro da vontade de Deus para nós.

O cristianismo elevou o padrão do trabalho porque, em terceiro lugar, sabemos que podemos viver pela fé nas promessas de Deus! Essas diretrizes de Paulo não são fáceis de seguir, tendo em vista nossa ansiedade com o amanhã. Que comeremos? Que beberemos? Com que nos vestiremos, se dermos parte do que ganhamos para ajudar os outros? Deus, no entanto, promete recompensar os que abençoam os necessitados. Ele não só não esquece quem ajuda os pobres como também lhe suprirá as necessidades: "Quem ajuda os pobres empresta ao SENHOR; ele o recompensará" (Pv 19.17).

Gostaria de concluir colocando quatro desafios para todo cristão.

Primeiro, se você tem sido desonesto, não importa de que maneira e sob qual alegação, pare imediatamente. Coloque sua vida em ordem, ainda que isso lhe custe financeiramente. Mesmo que haja necessidade de restituições, o resultado valerá a pena.

Segundo, estude muito, trabalhe duro, ganhe o máximo que puder. Coloque como alvo do seu trabalho seu sustento e o de sua família, e o auxílio aos pobres e necessitados bem como à obra de Deus. Se você é uma pessoa dedicada integralmente ao cuidado da casa e dos filhos, saiba que se trata de um trabalho digno e extremamente abençoador.

Terceiro, seja generoso e contribua financeiramente. Há várias maneiras de fazê-lo: ajudando diretamente pessoas conhecidas e que precisam de fato de apoio; dando fielmente o dízimo do que ganha; indo além ofertando generosamente para que a igreja auxilie os necessitados que não podemos alcançar e ajude a sustentar o trabalho de missionários e pastores, responsáveis pelo cuidado material e espiritual de muitas pessoas e comunidades.

Quarto, se você não pode trabalhar por estar estudando, por questões de saúde, idade, deficiência ou absoluta falta de emprego, não se sinta culpado. É Deus quem julga nossa motivação, e ele é justo, soberano, onipresente e onisciente.

Para refletir

1. Você possui um motivo justo para não estar trabalhando neste momento?
2. Que outras formas de trabalho ilícito ou imoral você acrescentaria aos exemplos citados?
3. Que aplicações você faria desta ordem de Paulo: "Quem não quiser trabalhar não deve comer" (2Ts 3.10)?
4. Você entrega à igreja, regularmente, o dízimo do fruto de seu trabalho?

11
O dízimo no Antigo Testamento

A questão do dízimo é provavelmente a mais polêmica quando se fala de contribuição nas igrejas evangélicas. Primeiramente porque a teologia da prosperidade condiciona as bênçãos de Deus, e em alguns casos até mesmo a salvação, à entrega do dízimo, um ensino que compreensivelmente traz indignação e resulta no questionamento da própria prática bíblica do dízimo. Segundo, porque muitos evangélicos consideram, erroneamente, que o dízimo era uma forma de contribuição ligada ao sistema levítico, ensinado na lei de Moisés, e que, por ter sido abolida em Cristo, o cristão está desobrigado de praticá-la. Terceiro, porque alguns, os denominados desigrejados, consideram que, ao longo do tempo, a igreja como instituição abandonou os princípios bíblicos. Para eles, o dízimo nada mais é que uma artimanha de religiosos profissionais para manter a instituição da qual tiram seu sustento.

Em quarto lugar porque muitos não se sentiram abençoados financeiramente após anos de contribuição fiel. Em quinto, porque algumas igrejas ou denominações creem que o dinheiro pode suscitar ganância e corrupção, e por isso deixaram de manter seus obreiros. É o caso da Congregação Cristã do Brasil, cujos pastores devem empregar-se para obter o próprio sustento e com isso não podem dedicar-se integralmente à obra de pastorear, o que prejudica o preparo de sermões e estudos, e em última análise a própria igreja.

Embora não se possa ignorar o fato de que algumas dessas considerações guardem alguma forma de verdade, é impossível deixar de constatar que os crentes, tanto do Antigo quanto do Novo Testamento, são chamados a contribuir regular, sistemática, proporcional e voluntariamente para a obra de Deus, como expressão de adoração e gratidão por tudo que ele tem nos dado. Significa que, apesar dos escândalos financeiros, temos de encarar o fato de que a Bíblia ensina que os cristãos devem contribuir para sua igreja local. Ou seja, erros não anulam esse princípio bíblico.

Neste capítulo, trataremos do dízimo como sistema de contribuição no Antigo Testamento, e a principal questão a considerar à luz das Escrituras é que a contribuição financeira não tem por objetivo primeiro suprir as necessidades da igreja e das pessoas carentes. Ela tem a ver primeiramente com a adoração proveniente do coração. Não devemos contribuir apenas porque existe uma demanda, uma necessidade urgente ou um alvo lançado. Independentemente disso tudo, contribuir com regularidade para a igreja local reflete não apenas desprendimento, mas veneração, devoção e culto a nosso Deus.

A primeira aparição da palavra "oferta" na Bíblia coincide com a primeira referência de adoração a Deus:

> No tempo da colheita, Caim apresentou parte de sua produção como oferta ao SENHOR. Abel, por sua vez, ofertou as melhores porções dos cordeiros dentre as primeiras crias de seu rebanho. O SENHOR aceitou Abel e sua oferta, mas não aceitou Caim e sua oferta.
>
> Gênesis 4.3-5

É num contexto de adoração a Deus que Caim e Abel trazem suas ofertas ao Senhor. O ato de ofertar faz parte do primeiro culto mencionado nas Escrituras. Evidentemente, o ato em si de ofertar não torna o culto agradável a Deus. A motivação é importante, por isso ele rejeitou a oferta de Caim e aceitou a de Abel. A maneira correta de fazer sacrifícios de animais como parte do culto já havia sido revelada em Gênesis 3.21.

O texto nos diz que o Senhor aceitou Abel e sua oferta, o que mostra que o culto deve ser aceitável a Deus. Ele deve ser adorado e glorificado. Ele é quem deve ser agradado. A contribuição de Abel foi aceita porque a adoração dele foi aceita. Deus se agradou primeiro de Abel e depois de sua oferta. A fé de Abel o levou a agir dessa forma, como diz o autor de Hebreus (Hb 11.4). Oferta e adoração estão relacionadas, e isso inclui os dízimos.

As primeiras citações bíblicas da palavra "dízimo" ocorrem antes da lei de Moisés e, significativamente, no contexto de adoração. Há dois episódios no Antigo Testamento em que os patriarcas Abraão e Jacó entregaram dízimos ao Senhor Deus num contexto de gratidão e adoração. O primeiro está em Gênesis 14.20, em que Abraão entrega o dízimo de tudo a Melquisedeque. Para entendermos melhor, é preciso contextualizar esse ato de Abraão. Em Gênesis 12, Deus promete a terra de Canaã a Abraão, que em seguida levanta um altar ao Senhor, como ato de adoração (12.8). No capítulo 14, essa promessa é ameaçada por quatro reis cananeus que invadem a terra e tomam Sodoma, levando cativo Ló, sobrinho de Abraão. Deus então dá vitória a Abraão, que resgata o sobrinho e traz um grande despojo dos reis vencidos em combate. Melquisedeque, que era rei da cidade de Salém e sacerdote do Deus Altíssimo, vem ao encontro de Abraão e o abençoa. Como resposta de adoração e reconhecimento de que tudo pertence a Deus, Abraão lhe entrega o dízimo do total dos despojos obtidos (14.18-20).

Testado pela sugestão do rei de Sodoma, que lhe propõe ficar com todo o despojo, Abraão responde com um juramento ao Senhor: "Nada aceitarei..." (Gn 14.24, NVI), demonstrando uma atitude de reconhecimento de estar seguro nas promessas daquele que possui tudo e de não aceitação, portanto, de nada que viesse de homens. A entrega do dízimo é um ato de adoração de Abraão àquele que possui todas as coisas e está inserida na aliança de Deus com ele, baseada na promessa divina de conceder-lhe uma terra e uma descendência mediante a qual todas as nações seriam abençoadas (12.1-3). É claro que o cumprimento das promessas não estava atrelado à fidelidade de Abraão em entregar a Deus o dízimo de tudo que possuía, mas isso era certamente esperado como expressão de reconhecimento e adoração. E não podemos esquecer que somos herdeiros da promessa e filhos espirituais de Abraão (Gl 3.7,29).

O segundo episódio refere-se à promessa de Jacó, neto de Abraão, de entregar a Deus o dízimo de tudo que viesse a possuir em sua jornada. Enquanto fugia de seu irmão, Esaú, no caminho para Padã-Arã, local que ele passou a chamar de Betel, "casa de Deus", Jacó recebeu uma revelação de Deus reafirmando a aliança e as promessas feitas a Isaque, seu pai, e a Abraão, seu avô (Gn 28.10-17). Ao despertar, Jacó faz três votos a Deus. Primeiro, o Senhor seria seu Deus, reafirmando assim a aliança (28.21). Segundo, ele construiria um altar naquele local, um santuário para prestar culto a Deus (28.22a). Terceiro, Jacó promete dar a Deus o dízimo de tudo que ele lhe concedesse (28.22b).

É interessante observar que a promessa de entrega do dízimo é feita junto com as outras duas, estas relacionadas com a aliança e com o culto a Deus. De onde Jacó teria tirado esse conceito de que o dízimo faz parte do culto a Deus, se não a tivesse aprendido com seu pai, Isaque, que por sua vez teria aprendido com seu pai, Abraão? Mesmo diante da falta de menção explícita, podemos inferir que a prática regular de entregar o dízimo dos bens, despojos e rebanhos fazia parte do culto que os patriarcas prestavam a Deus bem antes de Moisés tê-la regulamentado na lei que recebeu diretamente de Deus.

No período em que Deus se revela a Moisés e lhe concede a Lei, as antigas práticas de adoração dos patriarcas Abraão, Isaque e Jacó são regulamentadas e transformadas em leis divinas. Elas continuam a ser vistas em um contexto de adoração, devendo os israelitas enquadrar-se no sistema de entrega regular de dízimos e ofertas.

Os três núcleos de instrução na Lei mosaica acerca do dízimo — Levítico 27.30-34, Números 18.21-32 e Deuteronômio 12.1-14; 14.22-29 — vêm como resposta a quatro perguntas básicas sobre o tema, na época: 1) dízimo de quê?; 2) dízimo para quem?; 3) onde entregá-lo?; e 4) quando entregá-lo?

A primeira pergunta, "dízimo de quê?", é respondida em Levítico 27.30-34. O texto instrui o povo a dar o dízimo dos cereais, das frutas e do rebanho. Lembremos que a economia de Israel baseava-se na agricultura e na pecuária, portanto o dízimo é apropriadamente adequado a uma economia agrícola. Todo o dízimo da terra pertence a Deus, incluindo, sem exceção, os animais (cuja décima cria pertencia a Deus) e a produção agrícola (cuja décima parte poderia ser convertida em espécie, acrescentada de um quinto de seu valor). Esse dinheiro era santo para o Senhor, ou seja, separado exclusivamente para a obra. Hoje, embora não vivamos em uma economia agrícola, o princípio permanece. De tudo que recebemos, devemos separar a décima parte, que pertence ao Senhor.

A segunda pergunta, "dízimo para quem?", é respondida em Números 18.21-32. Como os levitas não receberam herança territorial em Canaã, sua recompensa por servir a Deus eram "os dízimos de todo o povo de Israel" (18.21). Lembremos que os levitas eram responsáveis pela manutenção do culto a Deus no tabernáculo (e mais tarde no templo), o que exigia um ministério em tempo integral. O ponto central da adoração a Deus no culto exigido pela lei era o sacrifício constante de animais, obrigando-os a se organizarem em turnos. Era necessário, portanto, que as demais tribos os sustentassem. Mas também os levitas deveriam dar o dízimo daquilo que recebessem, ou seja, o "dízimo dos dízimos" (18.26), ao sacerdote descendente de Arão, o grande responsável pelo culto a Deus.

A terceira pergunta, "onde entregar o dízimo?", é respondida em Deuteronômio 12.1-14 e 14.22-29. Os dízimos dos israelitas não poderiam ser entregues em qualquer lugar e de qualquer forma, mas dentro do contexto de adoração e onde Deus escolhesse (Dt 12.14). O local desse santuário central — mais tarde substituído por Jerusalém, com a construção do templo — era o único lugar autorizado por Deus para a apresentação dos dízimos. Hoje já não há apenas um local de adoração (Jo 4.19-24). O templo de Jerusalém, que apontava para Cristo e sua igreja, não mais existe, e é errôneo pensar que os templos de nossas igrejas sejam a continuação do templo de Jerusalém. Contudo, mais uma vez permanece o princípio. Devemos entregar o dízimo no local em que congregamos, como expressão de nosso culto e adoração a Deus e manutenção de tudo que esse culto envolve.

Finalmente, para responder à quarta pergunta, "quando entregar o dízimo?", precisamos lembrar que na lei de Moisés era necessário consagrar a Deus três dízimos distintos, relacionados a três festas religiosas celebradas anualmente em Jerusalém: Páscoa, Tabernáculos e Pentecostes. O povo israelita deveria comparecer a todas elas e lá entregar o dízimo como expressão de sua adoração ao Senhor. A desobediência da prática do dízimo, de acordo com o profeta Malaquias, equivalia ao pecado de roubar a Deus, passível de repreensão e punição do povo (Ml 3.6-12). Em épocas de intensa idolatria, os israelitas costumavam entregar o dízimo a ídolos de cultos pagãos, multiplicando assim sua transgressão diante do Senhor (Am 4.4-5).

Por essa razão, toda reforma religiosa e todo despertamento espiritual em Israel incluíam a restauração da prática da entrega dos dízimos — como ocorreu na época de Ezequias (2Cr 31.10-11) e Neemias (Ne 13) —, recebida com grande alegria por parte do povo por expressar seu comprometimento em adorar genuinamente a Deus (Ne 12.44).

Embora como cristãos não estejamos sujeitos à lei mosaica, podemos extrair alguns princípios de seu sistema de contribuição:

Primeiro, o povo de Deus deveria entregar o dízimo como parte do culto prestado e como reconhecimento de que o dízimo pertencia ao Senhor (Lv 27.30).

Segundo, os dízimos eram destinados ao sustento dos levitas e sacerdotes, à manutenção do culto ao Senhor e ao auxílio dos necessitados, especialmente o estrangeiro, o órfão e a viúva (Dt 14.28-29).

Terceiro, a prática de entregar o dízimo fazia parte da adoração do povo de Deus muito antes de ser sistematizada na lei de Moisés, contrariando a alegação de tratar-se de um elemento de adoração pertinente apenas ao período da lei.

Quarto, ainda que hoje o dízimo não seja uma obrigação legal, cuja desobediência é passível de disciplina eclesiástica, também não podemos ignorar que a entrega regular do dízimo é esperada no contexto da nova aliança, como expressão de adoração e culto a nosso Deus.

Para refletir

1. Você entrega regularmente o dízimo como um ato de adoração no culto prestado a Deus ou como um fardo pesado?
2. Você considera a entrega do dízimo o cumprimento de um dever, na expectativa de receber algo de Deus?
3. Se você não tem entregado o dízimo, é capaz de justificar biblicamente os motivos?

12
O dízimo no Novo Testamento

No capítulo anterior, vimos que o dízimo era praticado no Antigo Testamento antes mesmo da lei, pelos patriarcas, e mais tarde por todo Israel, já sob a vigência da lei mosaica. Em ambos os casos, o dízimo era entendido como parte do culto e da adoração que se deve prestar a Deus.

Neste capítulo, trataremos do dízimo como sistema de contribuição no Novo Testamento. A questão aqui proposta é se o dízimo permanece ainda hoje, para os cristãos do século 21, o sistema bíblico de contribuição. Muitos cristãos têm dificuldade em responder afirmativamente por entenderem que o sistema dizimal de contribuição fazia parte da lei mosaica, concedida à nação de Israel, e que, uma vez que a lei foi cumprida, o dízimo teria sido abolido, restando como única forma de contribuição a oferta voluntária. Para outros cristãos, a prática do dízimo continua válida para a igreja de Cristo, mas apresenta um caráter legal e normativo, cuja desobediência é passível de disciplina.

Nenhum dos dois entendimentos está correto. O dízimo era o sistema habitual de contribuição nas igrejas cristãs do período neotestamentário, ainda que já não possuísse um caráter legal, como ocorria sob a lei de Moisés. Vejamos algumas evidências disso.

1. *A prática do dízimo não teve início com a lei mosaica.* Vimos que muito antes de Moisés, já havia a prática de entregar a Deus uma parte dos bens (Gn 14.18-20; 28.22). A lei mosaica

apenas normatizou e regulou o que já se praticava, o que invalida a afirmação de tratar-se de uma exigência apenas da lei, aqui entendida como as leis cerimoniais e civis dadas a Israel. Os Dez Mandamentos são, e sempre serão, a expressão da santidade de Deus e daquilo que ele deseja de nós, e a forma de agradá-lo por nos ter dado a vida eterna graciosamente em Cristo Jesus. A abolição das leis cerimoniais e civis, portanto, não acarreta a abolição do dízimo como forma de contribuição.

2. *Os primeiros cristãos praticavam o dízimo.* Uma leitura mais atenta do Novo Testamento mostra que os primeiros cristãos — judeus convertidos a Jesus Cristo — mantiveram muitos dos costumes judaicos, como a ida ao templo em determinadas horas do dia, para orar (At 3.1), as reuniões no templo (At 2.46; 5.20-21; 5.42), a prática de votos (At 21.20,23-24) e a integração das crianças, pelo batismo, ao povo de Deus (At 2.38,39; 16.15; 16.33; 1Co 1.16).

Outras práticas, contudo, foram abolidas em Cristo, como os sacrifícios de animais (Hb 10.11,12) e a guarda do sábado (Gl 4.9-11; Cl 2.16). Em contrapartida, em nenhum momento os apóstolos, quer os Doze quer Paulo, ensinaram a abolição do dízimo como forma de contribuição para o povo de Deus e como parte da adoração a ele devida. Mesmo as primeiras igrejas gentílicas, como a de Antioquia, fundadas por judeus cristãos (At 11.19-26), eram ensinadas a contribuir de forma generosa, sistemática e proporcional ao que possuíam, tendo o dízimo como referência.

3. *Havia similaridade no propósito do dízimo entregue na igreja cristã e no período veterotestamentário.* Em ambos, o dízimo visava o sustento da obra e o cuidado dos pobres. Desde cedo, reconheceu-se a necessidade de sustentar os obreiros dedicados integralmente à pregação, à evangelização e ao pastoreio

do rebanho. Isso já havia sido ensinado pelo Senhor Jesus, ao enviar os Doze em sua primeira viagem missionária (Mt 10.5-10). O próprio apóstolo Paulo reivindicou seu direito de receber sustento da igreja de Corinto, a exemplo dos demais obreiros (1Co 9.1-14). Mais tarde, escrevendo a Timóteo, Paulo ensinou que aqueles presbíteros/pastores que se afadigavam no ensino da Palavra deveriam receber honorários dobrados. Ora, de onde viriam os recursos senão das contribuições regulares e generosas dos cristãos em suas igrejas? E o referencial mais conhecido e já consagrado como método de contribuição desde os tempos dos patriarcas era certamente o dízimo.

Mas, além do sustento da obra, o dízimo dos cristãos era usado para socorrer os pobres, as viúvas e os órfãos. Paulo recomendou a Timóteo que amparasse as viúvas necessitadas com os recursos da igrejas (1Tm 3.16). O próprio apóstolo, quando esteve em Jerusalém para encontrar-se com Pedro, recebeu a recomendação de cuidar dos pobres, o que se esforçou em fazer (Gl 2.10). Diferentemente da oferta levantada especialmente para atender a uma necessidade específica (Rm 15.26; At 11.27-30), pobres, viúvas e órfãos precisavam de ajuda diária, o que só poderia ser suprido por um sistema de contribuição regular, generoso e proporcional ao que cada um poderia oferecer: a prática da entrega da décima parte de todos os proventos recebidos.

4. *Há várias referências ao dízimo no Novo Testamento*. Seria de estranhar uma orientação contrária à entrega do dízimo, uma vez que esse era o recurso para atender às necessidades dos pobres e da obra de expansão do evangelho. Em vez de proibi-lo ou extingui-lo, Jesus ensinou a maneira certa de entregá-lo. As primeiras referências ao dízimo no Novo

Testamento estão no sermão de Jesus contra a religiosidade hipócrita dos fariseus:

> Que aflição os espera, mestres da lei e fariseus! Hipócritas! Têm o cuidado de dar o dízimo da hortelã, do endro e do cominho, mas negligenciam os aspectos mais importantes da lei: justiça, misericórdia e fé. *Sim, vocês deviam fazer essas coisas, mas sem descuidar das mais importantes.*
>
> Mateus 23.23; cf. Lc 11.42 (ênfase acrescentada)

Jesus não está se posicionando contrariamente ao dízimo, mas sim à hipocrisia dos fariseus. Enquanto davam, meticulosamente, o dízimo de tudo que tinham — como se isso fosse o mais importante para Deus —, relegavam a segundo plano o que é mais central na relação com Deus: justiça, misericórdia e fé. Jesus afirma claramente que os fariseus deveriam fazer as duas coisas, isto é, entregar o dízimo e praticar tais virtudes. Ainda que essa orientação se dê antes de sua morte e ressurreição, e portanto antes do Pentecostes, ou seja, da organização da igreja, esse seria o momento de, se assim fosse, dizer aos judeus que o dízimo não teria lugar em sua igreja. Mas não foi o que aconteceu.

O que Jesus repreende, portanto, é a atitude incorreta dos fariseus com relação ao dízimo. Eles acreditavam que dar o dízimo de tudo que possuíam os colocava em uma posição superior à dos publicanos, que eram os judeus não praticantes. Jesus, porém, deixou claro que dar o dízimo não os salvaria do inferno, enquanto a atitude humilde do publicano lhe permitiria entrar no reino de Deus, ainda que não entregasse o dízimo (Lc 18.13-14). O que salva não é o dízimo, mas nossa atitude diante de Deus. Enquanto o fariseu era arrogante e vaidoso, o publicano era humilde e quebrantado. Isso fez a diferença.

O escritor de Hebreus, no intuito de mostrar que Jesus era sacerdote de uma linhagem superior à dos levitas, menciona o episódio em que Abraão pagou dízimos a Melquisedeque (Gn 14.18-20) por entender Melquisedeque como uma figura de Cristo (Hb 7.1-10). Foi Cristo, portanto, quem recebeu os dízimos de Abraão e seus descendentes antes ainda da lei. Nós, cristãos, como descendentes espirituais de Abraão, também devemos pagar os dízimos a nosso sumo sacerdote, Jesus Cristo.

5. *Não se trata de lei, mas de graça.* Aprendemos no Novo Testamento que devemos contribuir generosa, proporcional, constante e regularmente para suprir as necessidades dos pobres (2Co 8—9). O sistema dizimal não só atende a essas condições como tem ainda a vantagem de ter sido o sistema que Deus ordenou como prática à igreja do Antigo Testamento.

Entregamos o dízimo não como obrigação legal, nem para obtenção de bênçãos de Deus ou por medo do castigo divino, mas sim como expressão de nossa gratidão ao Senhor e como meio de contribuir para o avanço de seu reino neste mundo.

Em síntese, entendemos que entregar a Deus o dízimo não é só bíblico, mas válido para nós, hoje, e devemos fazê-lo pela fé. A aplicação do dízimo no Novo Testamento como contribuição regular é, portanto, uma prática correta e esperada por parte da igreja.

Para refletir

1. Você entende o dízimo como uma prática regular e proporcional dos membros da igreja? Se não, como a igreja poderia ajudar os pobres e ainda manter a obra pastoral de discipular os crentes, evangelizar os descrentes e expandir o reino?

2. Faça uma relação dos motivos que o levam a não dizimar e tente justificar cada um deles à luz da Bíblia.
3. Você acha justo abandonar o sistema de contribuição dizimal porque alguns pastores e igrejas abusam desse sistema visando o enriquecimento? Justifique sua resposta.

13
Combatendo a ansiedade

Em Filipenses 4.6-9, o apóstolo Paulo nos oferece orientações para vivermos livres da ansiedade, tida por alguns como o mal deste século. Contudo, talvez não devamos fazer tal afirmação tão categoricamente, afinal a carta aos filipenses foi escrita há dois mil anos e já naquela época Paulo exortava os crentes a que não vivessem ansiosos. A ansiedade incomoda a raça humana desde o momento em que nos separamos da comunhão com Deus, no Jardim do Éden, devido ao pecado de nossos pais e os nossos próprios. Nosso coração foi feito para ser de Deus e satisfazer-se com ele. Mas por causa do pecado vivemos em constante turbulência, ansiedade, inquietação e preocupação com o hoje e o amanhã. O Antigo e o Novo Testamento mencionam com muita frequência esse tema justamente para chamar-nos a atenção para o fato de que há um Deus que zela por nós e prometeu cuidar de seu povo no presente e no futuro.

O texto mencionado de Filipenses é uma dessas passagens bíblicas. Paulo escreveu essa carta em uma prisão, enquanto aguardava julgamento em Roma. O apóstolo fora acusado de traição e conspiração contra César por afirmar que Jesus Cristo, e não César, era o Senhor, título concedido apenas ao imperador. Lá, Paulo recebeu a visita do irmão Epafrodito, da igreja de Filipos, que lhe trazia notícias da igreja e também dinheiro coletado para abençoá-lo em suas necessidades. Como fruto desse encontro, Paulo escreve essa carta à igreja de Filipos, em que trata de vários problemas práticos, responde a algumas indagações da igreja e agradece pela oferta recebida, dadas as necessidades em Roma. Já perto do final da carta, orienta os filipenses a viverem despreocupados, ainda que passassem por muitas dificuldades.

Examinemos mais de perto essa passagem e as orientações de Paulo sobre como devemos combater a ansiedade. Filipenses 4.6 afirma que não devemos viver ansiosos por coisa alguma. No grego, a palavra traduzida por *ansioso* significa literalmente "dividido", descrevendo adequadamente o estado em que uma pessoa ansiosa se encontra: mente e coração estão divididos. Várias forças puxam os pensamentos em direções diferentes e opostas, de forma que a pessoa não consegue coesão mental. O ciclo das ideias é confuso e inconcludente. A mente não consegue parar, desligar, fixando-se em um *looping* de pensamentos opostos.

A ansiedade afeta os relacionamentos e a comunicação. A pessoa se torna irritadiça, inconsolável e pessimista, apresenta dificuldade de concentração e, portanto, de compreensão e avaliação dos fatos. A ansiedade afeta a vida, o casamento, o relacionamento com amigos, o desempenho no trabalho e, quando se trata de um cristão, dá mau testemunho para o mundo. Não é sem razão, portanto, que Deus nos traz, em sua Palavra, tantas orientações sobre esse assunto.

Mas o que nos deixa ansiosos? A ordem que o apóstolo Paulo dá aos filipenses é que "não andem ansiosos por coisa alguma" (4.6, NVI), e com "coisa alguma" quer dizer que não há exceções. Assim, por cobrir todas as situações da vida, nada deveria nos provocar ansiedade: nenhum problema, nenhuma necessidade, nenhuma dúvida, nenhuma expectativa, nenhuma circunstância. Nada. Trata-se de um mandamento de Deus e como tal é uma possibilidade bastante real, uma vez que o Senhor nunca nos pede algo que ele mesmo não nos ajude a cumprir.

Ainda que a ansiedade seja uma forma de desobediência a Deus, não podemos dizer que toda ansiedade é pecado. Determinados fatores — como distúrbios de humor, desequilíbrio hormonal ou disfunção química no cérebro — desencadeiam esse estado no ser humano e não decorrem necessariamente da falta de confiança em Deus. No entanto, podemos afirmar que boa parte de nossas angústias são, de fato, decorrentes de deficiências espirituais. Se assim não fosse, a Bíblia não trataria desse assunto como um problema espiritual. Se você se sente ansioso, pense no que a Bíblia diz. Talvez sua inquietação, ansiedade ou preocupação resulte de uma postura errônea diante da vida e de Deus.

Depois de determinar aos filipenses que não vivessem ansiosos por coisa alguma, Paulo menciona três atitudes para enfrentar a ansiedade que, aliadas a boas práticas como alimentação saudável, descanso adequado e exercícios físicos, ajudam a aliviar tanto a mente como o coração.

A primeira atitude que devemos tomar é *orar*: "orem a Deus pedindo aquilo de que precisam" (4.6). Embora Deus saiba todas as coisas, ele deseja que nos aproximemos dele em oração e lhe digamos o que nos perturba e torna ansiosos. A oração é a forma mais básica de comunicação com Deus e de aproximação dele. Quando pedimos, focamos mais intensamente nossa necessidade bem como o poder e a misericórdia de Deus para supri-la.

Paulo acrescenta, ainda, que nossa oração e súplica deve ser feita com ações de graças — "agradecendo-lhe por tudo que ele já fez" —, outro tipo mais específico de oração, ou seja, orar sempre com coração agradecido, lembrando o que Deus já fez por nós. Contar as bênçãos, ter sempre presente que Deus nos ajudou na necessidade e que seguimos adiante mesmo quando a vida ficou difícil podem ajudar a combater a ansiedade. Por isso não podemos esquecer de agradecer ao Senhor.

Quando oramos em súplica e agradecimento, experimentamos a paz de Deus. É uma promessa: "Então vocês experimentarão a paz de Deus, que excede todo entendimento e que guardará seu coração e sua mente em Cristo Jesus" (4.7). O verbo "guardar", na linguagem militar, descreve a função da sentinela. A ideia é que, ao orarmos com súplicas e ações de graças, a paz de Cristo vem montar guarda na entrada de nossa mente e de nosso coração, pois é em Cristo, e apenas nele, que essa paz pode ocorrer.

Aqui é preciso atentar para a distinção entre a paz *de* Deus e a paz *com* Deus. A paz *com* Deus não é um sentimento, mas um estado. Antes de conhecer a Jesus Cristo, éramos rebeldes, insubmissos e estávamos em guerra com Deus. Mas, pela fé em Cristo Jesus, fomos justificados, perdoados e já não estamos em guerra com Deus. Em vez disso, temos paz com ele (Rm 5.1). E não se trata de sentimento, pois ainda que estejamos profundamente angustiados, ansiosos ou preocupados, a paz com ele permanece.

A paz *de* Deus, em contrapartida, é um sentimento. Trata-se daquela sensação de tranquilidade, de confiança, de repouso de quem deixou todas as preocupações, pela oração, diante de Deus. Paulo não está falando aqui da paz com Deus, porque ela já está pressuposta se você é cristão, mas da paz de Deus, esta sim um estado mental e espiritual de tranquilidade e descanso.

No entanto, embora diferentes, ambas estão intimamente ligadas, pois somente quem tem paz *com* Deus pode experimentar a paz *de* Deus. Por isso o ímpio não conta com nenhuma delas.

Se o primeiro passo é orar, o segundo é *pensar corretamente*. Eis sua orientação aos filipenses: "Concentrem-se em tudo que é verdadeiro, tudo que é nobre, tudo que é correto, tudo que é puro, tudo que é amável e tudo que é admirável. Pensem no que é excelente e digno de louvor" (4.8).

Paulo nos exorta a ocupar o pensamento com tudo que é correto. Uma das grandes causas da ansiedade está em focar a mente naquilo que não condiz com nosso chamado cristão. Ocupamo-nos com notícias veiculadas pelas mídias sociais, imagens, sons e sentimentos que nem sempre se encaixam nas categorias descritas por Paulo. Mas, quando nos focamos no que é justo e verdadeiro, no que tem algum louvor, no que procede de Deus, no que é santo e bom, a mente reage positivamente. As emoções são o resultado do que pensamos.

É importante destacar que não estamos ensinando alguma forma de "pensamento positivo", algo muito comum entre não cristãos. Para o cristão, tudo que é bom procede de Deus, não de nós mesmos. O pensamento não tem, por si, poder de transformar a realidade. O que estamos dizendo é que, ao encher a mente com a Palavra de Deus, com suas promessas, suas grandes obras e sua pessoa maravilhosa, experimentamos a paz que ele nos concede mediante o Espírito Santo, que em nós habita.

A terceira atitude a que Paulo exorta os filipenses é a de *praticar* o que aprenderam: "Continuem a praticar tudo que aprenderam e receberam de mim, tudo que ouviram de mim e me viram fazer. Então o Deus da paz estará com vocês" (4.9).

Paulo começou sua exortação aos filipenses com a promessa de que a paz de Deus estaria com eles (4.7) e termina com a afirmação de que o Deus da paz estará com eles se praticarem o que aprenderam e receberam do apóstolo (4.9), numa referência ao tempo em que passou em Filipos. Nessa ocasião ele deixou um modelo a ser seguido pelos convertidos: se praticassem o que viram, ouviram e aprenderam de Paulo, o Deus que traz a paz estaria com eles (At 16.11-40).

Em outras palavras, além de orar e pensar no que é correto, para vencer a ansiedade os filipenses teriam de viver da maneira certa, seguindo o padrão cristão estabelecido pelo testemunho de Paulo e por seu ensino. Não tivemos o privilégio de viver nos tempos de Paulo, mas conhecemos seu exemplo e o modelo que ele deixou por meio do livro de Atos e das cartas que escreveu. Se vivermos como Paulo nos ensina, o Deus da paz estará conosco, e assim não viveremos ansiosos. Paulo e Silas, embora presos em Filipos, entoavam hinos de louvor a Deus (At 16.25). Nenhuma ansiedade dominava o coração deles, mesmo privados da liberdade. Oravam e cantavam hinos a Deus, sabendo que o Senhor haveria de cuidar deles.

Em síntese, boa parte da ansiedade que os cristãos experimentam decorre de uma vida cristã falha, por não orar, por ocupar a mente com o que não é correto e por não praticar o que aprenderam. Atos incorretos e pecaminosos entristecem o Espírito Santo. Perdemos a paz e somos invadidos pela culpa e pelo medo, e a ansiedade quanto ao futuro nos domina. Mas, quando nos arrependemos e confessamos sinceramente os pecados, o Deus da paz nos perdoa e nos enche da certeza de sua aceitação e acolhimento em Jesus Cristo.

Mais uma vez, queremos frisar que o estado de ansiedade não é fruto apenas de questões espirituais, podendo resultar de um quadro clínico ocasionado por diferentes variáveis. Nesses casos, é preciso consultar médicos especialistas e, se esta for a recomendação deles, fazer uso de medicamentos.

Para refletir

1. Antes de procurar ajuda médica para a ansiedade, questione-se sinceramente se ela não decorre da falta de oração, da ocupação da mente com coisas inconvenientes ou de um comportamento inadequado diante de Deus
2. Você tem certeza de que já possui paz *com* Deus? E a paz *de* Deus?
3. Que fatores roubam a paz de Deus de sua mente e coração?

14
Ainda que a figueira não floresça

O livro do profeta Habacuque narra a sua jornada espiritual, da crise de fé à confiança plena em Deus. Ele viveu no reino do sul, Judá, cerca de 650 anos antes de Cristo. Habacuque recebeu a revelação de Deus de que os babilônios invadiriam a terra. Mesmo ciente do inevitável, ou seja, de que o povo judeu seria massacrado e levado cativo para o exílio, e embora lutasse para entender o propósito de Deus e seus caminhos, Habacuque consegue descansar o coração no Senhor.

Apesar de um contexto e situação diferentes, a experiência de Habacuque é inspiradora para nós, cristãos, pois nos ensina que mesmo perdendo tudo ainda podemos nos regozijar em Deus. Numa época de insegurança e instabilidade econômico-financeira como a que enfrentamos em nosso país, muitos cristãos vivem angustiados e temerosos pelo futuro. Mais do que nunca precisamos aprender a viver contentes e alegres em Deus, "ainda que a figueira não floresça" (Hc 3.17).

Na época do profeta, o reino do norte, Israel, já havia sido invadido pelos assírios, e o povo, levado para o cativeiro. Embora Judá ainda permanecesse, seu final se avizinhava rapidamente. Os babilônios haviam derrotado a Assíria e se tornado o império dominante no cenário mundial. Deus havia revelado a Habacuque que a iminente invasão constituía o juízo do próprio Deus contra seu povo. E não era sem razão. Os judeus haviam se afastado do Senhor, rompido a aliança ao adorar outros deuses, e com isso rejeitado a lei de Deus. Imperavam a corrupção, a opressão, a injustiça, a imoralidade. O castigo, portanto, era inevitável.

A chamada crise espiritual de Habacuque (1.2-4) começou quando, incomodado com a situação espiritual decadente de seu povo, o profeta buscou a Deus fervorosamente durante muitos dias. Findo esse tempo de oração, ele se encontrava bastante aflito e com algumas perguntas para o Senhor. A primeira era por que Deus não respondia a suas orações. Por que ele permanecia em silêncio apesar do clamor do profeta diante de toda a violência dos judeus contra os mais fracos de seu próprio povo (1.2)? A segunda pergunta era: se Deus nada faria, por que lhe permitira ver toda aquela maldade entre seu povo (1.3-4)? E a terceira era se Deus não se dava conta de que sua passividade diante do pecado de seu próprio povo estava motivando o amortecimento da lei, ou seja, o descumprimento deliberado de sua santa lei (1.4).

A crise de Habacuque era, portanto, esta: por que Deus silenciou diante da iniquidade do povo e não respondeu às orações dos que se afligiam com isso? Deus respondeu a Habacuque, mas depois de um tempo. E a resposta não foi exatamente o que o profeta queria ouvir.

Os crentes em Cristo passam pela mesma crise de Habacuque. Quantas vezes ficamos perplexos diante do silêncio de Deus e da aparente falta de resposta a nossas orações fervorosas e urgentes! Observemos, contudo, que Habacuque não desistiu de Deus, nem de obter respostas. Em vez disso, perseverou em seguir ao Senhor. E assim também devemos agir quando tudo que recebemos da parte de Deus é o silêncio.

A primeira resposta de Deus vem em Habacuque 1.5-12 e mostra que Deus não estava surdo aos clamores do profeta. Ele via todo o mal que os judeus estavam praticando. No entanto, ao contrário do que Habacuque teria desejado — um avivamento espiritual entre o povo, como aqueles do passado —, Deus anuncia o castigo de Judá por meio dos babilônios, algo inusitado e inacreditável para quem viesse a ouvir (1.5), pois soaria como se Deus estivesse se voltando contra seu próprio povo.

Deus deixa claro para Habacuque que os babilônios, esse povo que ele está levantando e a quem está concedendo vitórias, eram o instrumento de que ele se valeria para punir os judeus (1.6). A descrição sobre a conhecida ferocidade e crueldade dos invasores — uma máquina eficiente de guerra, rápida e mortal (1.7-10) — certamente deixou Habacuque ainda mais perplexo. Embora os babilônios tivessem muitos deuses, seu deuses eram de fato o poder e a própria força, o que em última análise eles adoravam e respeitavam (1.11).

Habacuque entendeu o caminho e o propósito de Deus em levantar os babilônios contra seu próprio povo. Deus o estava disciplinando por seus pecados (1.12). Mas porque Deus é eterno e santo, Habacuque concluiu que não seriam exterminados. O castigo seria temporário. A nação eleita de Deus não seria destruída ou aniquilada pelos babilônios.

Com frequência Deus nos responde de maneira diferente daquilo que pedimos. Não se trata de que ele goste de contrariar-nos ou de que não se importe conosco. Ele é infinitamente sábio e vê o quadro completo, enquanto nós vemos apenas umas poucas peças do quebra-cabeça da vida. Nem sempre pedimos o que é melhor para nós, para os outros e para a glória de Deus. Por isso, como Habacuque, ao recebermos uma resposta diferente da que esperamos, devemos procurar entender o caminho sábio de Deus em sua providência.

Mas, apesar de ter entendido o caminho de Deus, algumas questões ainda afligiam e angustiavam o profeta. E aqui temos a segunda crise de Habacuque (1.13-17). Como um Deus santo poderia usar instrumentos malignos para realizar seus propósitos? A Babilônia era uma nação ímpia, idólatra, que não conhecia a Deus. Como poderia se tornar instrumento da justiça divina contra seu próprio povo, que por mais pecador que fosse ainda era o povo da aliança?

A santidade de Deus se tornou um problema para Habacuque. Ele sabia quão santo era o Senhor, a ponto de não poder contemplar o mal (1.13a). Por que, então, tolerava que os babilônicos continuassem seu caminho de devastação e destruição pelo mundo? Por que permitia que o mal prevalecesse contra os mais justos (1.13b)? Em sua queixa, o profeta questiona a justiça dos caminhos do Senhor, que permitia que os babilônios conquistassem as nações como um pescador pegava cardumes de peixes nas redes (1.14-17).

Incapaz de achar uma solução para suas dúvidas e questionamentos, Habacuque resolve esperar resignadamente pela resposta de Deus. Como um soldado que fica na torre de vigia da muralha da cidade à espera da chegada de mensageiros de notícias, ele ficaria em oração, vigilante, à espera da resposta de Deus (2.1). Que lição preciosa para nós! Não são poucas as vezes em que, perdidos em nossas dúvidas, ficamos sem entender os caminhos do Senhor. Habacuque nos ensina que aguardar em oração, vigilantes, é o que Deus requer de nós. E ele haverá de nos esclarecer, em seu tempo.

Passado um tempo, Habacuque recebe a resposta de Deus (2.2-20). Observe a transição entre uma atitude de espera vigilante (2.1) e o reconhecimento da recepção da resposta de Deus (2.2), a qual vem na forma de uma visão. Habacuque deveria gravar aquela visão em tábuas, com letras grandes, de modo a permitir a leitura até por uma pessoa que passasse correndo (2.2). Em outras palavras, Habacuque deveria escrever de maneira fácil e legível. Alguns acham que aqui temos o primeiro *outdoor* da história!

Contudo, a revelação objeto da visão que Deus concede a Habacuque não ocorreria imediatamente, ou mesmo em um futuro próximo, mas no tempo determinado (2.3). Até lá, Habacuque e os demais judeus deveriam esperar confiantes de que Deus concretizaria o que lhes fora revelado na visão: a futura destruição dos babilônios (2.4-20), por sua própria iniquidade e violência. Aqueles que serviram de instrumento de Deus para castigar seu povo seriam, por sua vez, castigados pelas próprias impiedades. E assim Deus não só mostrou sua justiça como ainda atendeu ao questionamento do profeta (1.12-17). A arrogância dos babilônios passaria como os efeitos do vinho no dia seguinte (2.5). Em contrapartida, o justo, o crente em Deus, viveria pela fé, aguardando o tempo de Deus (2.4). Séculos depois, Paulo e o autor de Hebreus usariam essa passagem para embasar a doutrina da justificação pela fé e uma vida de dependência de Deus (Rm 1.17; Gl 3.11; Hb 10.38-39).

A queda da Babilônia seria comemorada por todos os povos por ela conquistados e escravizados: ai dos que despojam os outros (2.6-8), ai dos que enriquecem de forma ilícita (2.9-11), ai dos violentos (2.12-14), ai dos bêbados (2.15-17), ai dos idólatras (2.18-19).

Essa visão termina com a certeza da vitória: Deus reina! Ele está no seu santo templo celestial! Ainda que o templo terreno em Jerusalém seja destruído e que seu povo seja levado em cativeiro, Deus permanece como Rei supremo do universo, diante de quem toda a terra deveria se calar em silêncio respeitoso (2.20). E, no tempo determinado, Deus fez a Babilônia cair pela mão de Dario, rei dos medos e persas (Dn 5.30-31).

Que lição abençoadora podemos tirar daqui! Deus nos ensina a confiar em sua justiça e provisão, mesmo que as circunstâncias pareçam mostrar o contrário. Habacuque a princípio não entendeu como o Deus santo poderia, com justiça, usar instrumentos ímpios para disciplinar seu próprio povo. Agora ele sabia: Deus haveria de julgar e punir os instrumentos ímpios. E, enquanto isso não acontecia, o justo deveria viver pela fé.

O texto de Habacuque, que começa revelando a profunda perplexidade do profeta diante do silêncio de Deus e do uso de instrumentos ímpios para a execução de seus planos, mostra no final que Deus haverá de triunfar sobre o mal e punir toda iniquidade, não somente a de seu próprio povo, mas também a dos babilônios. E, na certeza do triunfo de Deus, o profeta termina seu livro com uma oração em forma de canto (3.1).

Em um primeiro momento, portanto, a santidade e a justiça de Deus, seus atos na história e suas declarações acerca do juízo vindouro contra Judá deixaram o profeta alarmado, temeroso diante do futuro (3.2,16). Ele então ora para que, como ocorrera no passado, Deus reavivasse seus feitos maravilhosos em favor de seu povo (3.2). No final, escreve seu cântico (3.3-15), em que revê a história de Israel, destacando a fidelidade e a salvação de Deus na trajetória de seu povo (3.3-15), cumprindo assim sua aliança com ele.

Ao refletir sobre o poder de Deus demonstrado na história e que agora se viraria contra Judá, Habacuque se comoveu (3.16) ao mesmo tempo que entendeu que deveria esperar pelo juízo dos invasores (3.16). Não seria agora. Agora era tempo de disciplina para o povo de Deus, e Habacuque deveria esperar em silêncio, aguardando com fé o tempo determinado para o livramento.

Habacuque, portanto, termina seu livro com uma das mais belas confissões de fé encontradas na Bíblia. O que iniciou em crise termina em exultação. Ainda que todos os meios de sobrevivência e sustento fossem destruídos pelos invasores (3.17), havia algo que os babilônios não poderiam tirar de Habacuque e de todo o povo temente a Deus: a alegria e a exultação no Senhor (3.18). Deus era o consolo e a esperança deles em tempos de calamidade, atitude que se repetiria, séculos mais tarde, no Novo Testamento, com Paulo e Silas (At 16.25).

Enquanto seu coração estava focado no sofrimento, na perda e na desgraça que sobreviria ao seu povo, Habacuque viveu uma crise de fé, questionando a santidade e a justiça de Deus. Apenas quando creu e confiou que o Senhor estava no controle de tudo e que em seu tempo haveria de fazer bem ao povo, finalmente pôde descansar sua alma aflita.

A jornada de fé de Habacuque nos ensina que devemos aprender a nos alegrar em Deus mesmo quando perdemos o sustento, os bens e os meios de sobrevivência. Muitos crentes têm dificuldade em contribuir generosamente para a igreja com receio de que essa contribuição venha a fazer falta. Outros desanimam e desistem do evangelho diante de uma perda financeira grave. Isso só revela que seu coração estava no dinheiro, e não em Deus.

Para refletir

1. Como você reagiria se subitamente perdesse o emprego, a casa e os bens?
2. Você tem deixado de contribuir por receio de não ter o suficiente para o sustento diário?

15
A responsabilidade social da igreja

A Reforma Protestante, ocorrida no século 16, não foi apenas um movimento espiritual e eclesiástico; alcançou também dimensões políticas e sociais, dados os graves problemas sociais que afligiam a Europa em decorrência da omissão do Estado.

João Calvino foi um dos reformadores que se ocupou das questões sociais, buscando entender que papel a igreja cristã deveria desempenhar na reconstrução de uma sociedade que refletisse a vontade de Deus nesse tema.* Ele acreditava que as causas da pobreza, da miséria, da opressão e da perversão e corrupção da sociedade humana estavam enraizadas na natureza decaída do homem. Por sua habilidade em identificar biblicamente a raiz dos transtornos sociais, Calvino estava em posição de refletir corretamente sobre os problemas sociais de sua época.

O pensamento social de Calvino defende que o Cristo vivo e exaltado é Senhor de todo o universo e, portanto, sua obra de restauração não se limita apenas à restauração do indivíduo, mas de todo o universo — o que inclui a ordem social e econômica. Se Cristo era o Senhor de toda a existência humana, era dever da igreja dar atenção às questões sociais e políticas. Para

* O pensamento de Calvino tem influenciado decisivamente as igrejas reformadas, em particular as presbiterianas. Para um estudo mais detalhado sobre o assunto, ver André Biéler, *O pensamento econômico e social de Calvino* (Cultura Cristã, 1990), cuja pesquisa serve de base para a reconstrução histórica apresentada neste capítulo.

ele, a restauração inaugurada por Cristo ocorre inicialmente *no seio da igreja*, onde a ordem primitiva da sociedade, tal como Deus havia estabelecido, tende a ser restaurada. Na igreja, as diferenças exacerbadas entre as classes sociais, econômicas e raciais, e os preconceitos delas procedentes, desaparecem, pois Cristo de todos faz um único povo (Gl 3.28; Ef 2.14).

É na igreja, portanto, que as relações sociais de trabalho sofrem profundas alterações. Jesus Cristo estabelece entre os cristãos a justa redistribuição dos bens destinados a todos. Recursos oriundos dos mais ricos traziam alívio às necessidades dos pobres e oprimidos. É importante notar, porém, que a reforma da sociedade não é completa nem perfeita, visto que os efeitos do pecado não são de todo eliminados. A restauração só se efetuará plenamente na vinda do Senhor Jesus Cristo e na instalação de novos céus e nova terra, onde habita a justiça (2Pe 3.13; ver Is 65.17; 66.22; Ap 21.1).

Dessa forma, para Calvino, a igreja é uma antecipação do reino de justiça a ser introduzido por Cristo em sua vinda. Como tal, ela funciona como uma sociedade provisória, governada pelas leis de Cristo. Então, quais são as responsabilidades da igreja nessa restauração provisória da sociedade? Podemos resumir o ensino de Calvino em três aspectos fundamentais.

O primeiro aspecto é o *ministério didático da igreja*. Exercido por pastores e mestres, consistia na instrução pública e particular, através de sermões e orientação individual, quanto ao ensino bíblico sobre a administração dos bens outorgados por Deus ao Estado e ao indivíduo. Em outras palavras, mordomia cristã. A igreja deveria levantar o ânimo moral do trabalhador assegurando-lhe que mesmo os trabalhos mais humildes são honrados por Deus, uma vez que é pelo trabalho que o ser humano encontra sua vocação na vida. Em Cristo, o trabalhador encontraria a alegria e a satisfação que acompanhariam o labor diário.

Além da instrução, cabia à igreja repreender, por meio de pregações, os membros que incorressem em pecados sociais, como a prática dos agiotas de cobrança de juros excessivos ou o desemprego fruto da ganância dos ricos.

O segundo aspecto é o *ministério político da igreja*. Consistia em orar pelas autoridades constituídas (1Tm 3.1-2), independentemente da forma de governo e do nível de hostilidade (Jr 29.7). Quando necessário, também cabia à mesma igreja adverti-las diante do abuso de poder e da injustiça. Se a igreja cessar de vigiar o Estado, diz Calvino, ela se torna cúmplice da injustiça social, deixando de cumprir sua missão política. Ela deveria tomar a defesa dos pobres e fracos contra os ricos e poderosos, alertando o Estado quanto a sua função de proteger os fracos, os oprimidos e os explorados pelos ricos, detentores do poder político ou econômico.

O terceiro aspecto é o *ministério social*. A igreja deveria envolver-se diretamente, por meio de seus diáconos, no cuidado dos pobres, dos órfãos e das viúvas, independentemente de serem de dentro ou de fora da igreja.

Apesar de todo prestígio e toda influência que usufruia, Calvino levava uma vida modesta, buscando viver intensamente os princípios que defendia em sua teologia social. O resultado é que sua influência estendeu-se além do seu tempo. O pensamento social de Calvino tem produzido abundante fruto na história da humanidade pós-Reforma. Muitas universidades, escolas, hospitais e asilos foram fundados por calvinistas.

Mesmo diante das profundas diferenças culturais, políticas e religiosas entre a Suíça do século 16 e o Brasil do século 21, as muitas semelhanças também existentes, particularmente no que se refere aos problemas sociais, poderiam encontrar benefícios nos princípios de Calvino, por serem bíblicos. Quer na Suíça medieval, quer no Brasil moderno, permanece como verdade imutável o fato de que a raiz da opressão social é espiritual e moral, como Calvino apregoou. Jesus Cristo é o Senhor de todas as coisas, em todos os lugares e em todas as épocas. Seu reino se estende à política, à sociedade e à economia, independentemente do país ou do povo.

A igreja evangélica brasileira (especialmente a reformada) deveria envolver-se em todos esses aspectos, recorrendo aos meios apropriados, lícitos e legais para protestar, advertir e resistir à injustiça social; usando a pregação da Palavra para chamar ao arrependimento governantes corruptos, ricos opressores e pobres preguiçosos; e exercitando obras de misericórdia e assistência social por meio de uma diaconia treinada e motivada.

O envolvimento social não deve perder de vista que a missão primordial da igreja é promover a reforma (parcial e provisória) da sociedade através da proclamação do evangelho de Jesus Cristo, aguardando novos céus e nova terra, onde habita a plena justiça de Deus.

Para refletir

1. Você tem consciência de que a tradição reformada possui um amplo histórico de atuação na sociedade e na cultura?
2. Você tem intercedido pelas autoridades constituídas de seu país, mesmo quando não concorda com elas?
3. Você está pronto a sustentar a igreja no que diz respeito a sua responsabilidade social, contribuindo com seus dízimos e ofertas?

16
Os bens materiais em Provérbios

O livro de Provérbios reúne os ditos de Salomão e de outros sábios de Israel sobre como viver de maneira agradável a Deus. O texto traz a interpretação dos eventos ocorridos na sociedade israelita séculos antes de Cristo, quando Israel ainda era uma teocracia. Provérbios ensina que o temor de Deus é o princípio da sabedoria, e essa sabedoria nos ensina a tratar questões como as relações familiares, os negócios, o controle das palavras, a paciência e também as riquezas e os bens, e a prosperidade e a pobreza. Em Israel, o sábio era aquele que temia a Deus e andava em seus mandamentos. A esses, Deus havia prometido recompensar com bênçãos espirituais e materiais, e é dessa perspectiva que o tema da riqueza e da pobreza é visto em Provérbios.

A primeira questão a considerar é que a riqueza vem de Deus (Pv 10.22), o que não significa que não tenhamos participação em nossa prosperidade ou em nossa pobreza. Salomão apenas reafirma que por trás de todos os esforços e fracassos humanos está a mão soberana de Deus. Os ricos receberam a graça divina para sua riqueza, e aos pobres Deus concedeu dignidade, a ponto de se sentir ele próprio insultado quando um pobre é escarnecido. Em outras palavras, Deus está no controle de tudo.

Provérbios enfatiza que as riquezas decorrem da sabedoria, aqui personificada como se fosse o próprio Deus:

Amo os que me amam;
os que me procuram por certo me encontrarão.
Tenho *riquezas* e *honra,*
bens duradouros e justiça.
Minha dádiva vale mais que ouro, mais que ouro puro;
meu rendimento é melhor que a fina prata.
Ando em retidão,
nos caminhos da justiça.
Os que me amam recebem riquezas como herança;
sim, encherei seus tesouros!

Provérbios 8.17-21 (ênfase acrescentada)

Segundo o texto, quem busca a sabedoria não só a encontra como também encontrará bens e riquezas. Não foi essa a experiência de Salomão? É claro que não podemos fazer uma aplicação direta para nós. O princípio, contudo, permanece claro: aquele que busca andar sabiamente não cairá em armadilhas que geram pobreza, escravidão financeira e profunda necessidade. "O sábio possui riqueza e luxo" (21.20). "Com sabedoria se constrói a casa, e com entendimento ela se fortalece. Pelo conhecimento seus cômodos se enchem de toda espécie de bens preciosos e desejáveis" (24.3-4).

A passagem mais conhecida é de autoria de Salomão: "Honre o SENHOR com suas riquezas e com a melhor parte de tudo que produzir. Então seus celeiros se encherão de cereais, e seus tonéis transbordarão de vinho" (3.9-10). Salomão está ecoando o ensino de Deus ao povo de Israel, quando determinou, por meio de Moisés, que trouxessem como oferta ao Senhor os dízimos, as primícias de seus rebanhos, plantações e bens. Deus recompensa os que o honram com seus dízimos e ofertas.

Não somente isso, Deus não deixa o justo, aquele que anda em seus caminhos, passar fome (10.3). Ele terá o suficiente para satisfazer o apetite (13.25). Há riquezas para os que andam humildemente diante do Senhor (22.4) e prosperidade para os que nele confiam (28.25). Aqui também Salomão reflete os termos da aliança do Sinai, em que Deus prometia recompensar seu povo com prosperidade e fartura enquanto andassem em seus caminhos e seguissem suas leis (Dt 28.1-14).

Era isso que Salomão e os outros sábios observavam, e era assim que interpretavam esses fatos. Contudo, há casos no Antigo Testamento de homens sábios e tementes a Deus que passaram por momentos de grande aflição financeira e de saúde, como é o conhecido caso de Jó. Homens fiéis, como a maioria dos profetas, foram perseguidos e perderam o que tinham por obedecerem a Deus. Basta ver a lista de heróis da fé em Hebreus 11.35-38.

Isso nos mostra que, apesar de Deus normalmente abençoar com prosperidade os que são fiéis e generosos, excepcionalmente, em sua sabedoria e por motivos que somente ele conhece e não nos revela, ele permite que o justo sofra privações. Em ambos os casos, ainda que não compreendamos, devemos continuar a amar a Deus e a andar humildemente diante dele.

Salomão e os demais sábios também perceberam que Deus recompensa quem atende à necessidade do pobre. Quem faz o bem aos pobres é feliz (Pv 14.21), enquanto quem os persegue insulta a Deus e será castigado (14.31; 22.22-23). Ajudar os pobres significa emprestar a Deus, que haverá de "pagar de volta" (19.17; 22.9). Deus fechará os ouvidos a quem fecha os seus aos clamores do verdadeiramente pobre (21.13), mas abençoará o governo que se atenta às reais necessidades dele (29.14). Em síntese, Deus promete abençoar o generoso, o compassivo e o fiel.

Apesar de reconhecer que riquezas e prosperidade são coisas boas que nos vêm da parte de Deus, Salomão sabe que existe algo melhor: a sabedoria (3.13-15). Por isso, pede a seus leitores que prefiram seus ensinamentos à prata e ao ouro (8.10-11), pois o fruto da sabedoria é melhor que ambos (8.19; 16.16). Lábios instruídos são melhores que ouro e abundância de pérolas (20.15). A virtude, o bom nome e a estima dos amigos e conhecidos são, junto com a sabedoria, mais desejáveis que as riquezas (22.1). E, é claro, uma mulher virtuosa excede o valor de finas joias (31.10).

O objetivo de Salomão não é desestimular-nos de buscar a prosperidade material, mas sim exortar-nos a estabelecer corretamente as prioridades na vida. Nosso alvo não deve ser correr atrás de riquezas a fim de prosperar a qualquer custo. Existe algo melhor: buscar primeiro o reino de Deus e sua justiça, buscar sabedoria e conhecimento de Deus. Uma coisa não cancela a outra. Trata-se apenas de priorizar o que é melhor e perene.

Da mesma forma que os sábios de Israel observaram que os que temem ao Senhor e vivem sabiamente prosperam, também viram que os tolos acabam perdendo o que têm:

> Mantenha distância dessa mulher [imoral];
> não se aproxime da porta de sua casa!
> Se o fizer, perderá sua honra
> e entregará a homens impiedosos tudo que conquistou.
> Estranhos consumirão sua riqueza,
> e outros desfrutarão o fruto de seu trabalho.
>
> Provérbios 5.8-10

É preciso pensar nas consequências das tentações. Quantas oportunidades e quantos recursos podem ser desperdiçados com ações inconsequentes (29.3; Lc 15.11-24).

Provérbios também adverte quanto ao enriquecimento ilícito. Os bens ganhos "facilmente" assim também se vão: "O dinheiro ganho por meios ilícitos logo acaba" (13.11). "A riqueza obtida por meio de mentiras é neblina que se dissipa e armadilha mortal" (21.6). "O lucro obtido da cobrança de juros altos terminará no bolso de alguém que trata os pobres com bondade" (28.8).

Esses ditos nos previnem contra esquemas "espertos" criados por pessoas inidôneas que, sob a promessa de lucros fantásticos, acabam se apoderando dos bens dos incautos. Mostram o perigo da riqueza, que traz para muitos a falsa crença de que o dinheiro é a solução de todos os seus problemas.

Os tesouros acumulados pelos ímpios durante toda a vida não serão capazes de salvá-los diante de Deus (10.2; 11.4). Riquezas não os protegerão quando tiverem de prestar contas diante de Deus (18.11). Salomão diz que aquele que coloca sua confiança nos bens haverá de cair (11.28), pois as riquezas não duram para sempre (27.24). Assim, "é melhor ter pouco e temer o Senhor que ter um grande tesouro e viver ansioso" (15.16; 19.1; 19.22).

Com isso, não queremos dizer que seja errado possuir bens e ser próspero. O que está em jogo aqui é o risco de colocarmos a confiança e a esperança nos bens materiais, deixando de confiar em nosso Deus e em suas promessas. Por isso Provérbios nos alerta: se as riquezas representarem uma tentação, seremos mais felizes como pobres.

A busca das riquezas em detrimento de uma vida com Deus é uma das primeiras advertências de Salomão:

> Meu filho, se pecadores quiserem seduzi-lo,
> não permita que isso aconteça.

Talvez lhe digam: "Venha conosco! [...]
Encontraremos todo tipo de riquezas
e encheremos nossas casas com tudo que roubarmos.
Venha, junte-se a nós!
Dividiremos igualmente os despojos".

Meu filho, não vá com eles!
Afaste-se de seus caminhos.

Provérbios 1.10-15

Consciente dos riscos tanto da riqueza quanto da pobreza, o sábio Agur faz a seguinte oração, já no final do livro de Provérbios:

Ó Deus, eu te peço dois favores;
concede-os antes que eu morra.
Primeiro, ajuda-me a ficar longe da falsidade e da mentira.
Segundo, não me dês nem pobreza nem riqueza;
dá-me apenas o que for necessário.
Pois, se eu ficar rico, pode ser que te negue e diga:
"Quem é o SENHOR?".
E, se eu for pobre demais, pode ser que roube
e, com isso, desonre o nome do meu Deus.

Provérbios 30.7-9

Séculos depois o apóstolo Paulo diria algo semelhante aos crentes de Filipos:

Não digo isso por estar necessitado, pois aprendi a ficar satisfeito com o que tenho. Sei viver na necessidade e também na fartura. Aprendi o segredo de viver em qualquer situação, de estômago cheio ou vazio, com pouco ou muito. Posso todas as coisas por meio de Cristo, que me dá forças.

Filipenses 4.11-13

As pessoas correm atrás da riqueza na falsa crença de que a pobreza resulta de atitudes errôneas. A verdade é que ela pode ser fruto de fatores externos, como a economia do país e a falta de oportunidade para estudar e trabalhar. A pobreza, portanto, pode advir tanto de atitudes errôneas como de fatores que extrapolam nossa capacidade de sobrepujá-los.

Da perspectiva de Salomão, que escrevia em uma época em que seu reino experimentava grande prosperidade financeira, a pobreza advinha, por exemplo, da preguiça (6.9-11), da desobediência às instruções sábias dos pais e líderes espirituais (13.18,23,25), da pressa excessiva em ganhar dinheiro (21.5), da ganância (28.8), da opressão aos necessitados (22.16), de empréstimos mal planejados (22.7), de avalizar dívidas de outros (22.26).

Em suma, o que a sabedoria de Provérbios nos ensina é que existem princípios espirituais por trás da riqueza e da pobreza. Deus concede riquezas a uns e não a outros, e seu critério não nos é revelado. Nossas atitudes podem se refletir fortemente em nossa situação financeira. Além disso, o livro nos lembra de que devemos ser generosos. Honrar a Deus com nossos bens e ajudar os pobres e necessitados são atitudes que Deus haverá de recompensar. Ele abençoa quem contribui para a manutenção de sua obra e para o alívio dos necessitados. Em contrapartida, os gananciosos e insensíveis, ainda que desfrutem por um tempo de algum alívio financeiro, perderão a maior de todas as riquezas: o favor eterno de Deus.

Para refletir

1. Você tem enfrentado dificuldades financeiras com certa frequência? Se sua resposta for positiva, reserve alguns

momentos para refletir se elas não seriam resultantes de algumas das atitudes denunciadas em Provérbios.

2. O que é mais importante para você: ganhar dinheiro ou adquirir a sabedoria e o conhecimento de Deus?
3. Você ajudou recentemente alguém em necessidade?

Sobre o autor

Augustus Nicodemus Lopes é pastor presbiteriano (IPB), escritor e professor. Casado com Minka Schalkwijk, é pai de Hendrika, Samuel, David e Anna.

Compartilhe suas impressões de leitura,
mencionando o título da obra, pelo e-mail
opiniao-do-leitor@mundocristao.com.br
ou por nossas redes sociais

Esta obra foi composta com tipografia Palatino
e impressa em papel Pólen Natural 70 g/m² na gráfica Assahi